しい彼

凪良ゆう

キャラ文庫

この作品はフィクションです。
実在の人物・団体・事件などにはいっさい関係ありません。

目次

口絵・本文イラスト／葛西リカコ

美しい彼

下校のときに流れる音楽は『家路』という曲で、妙に心もとないメロディが嫌だった。わざとさびしい気持ちにさせて、早く家に帰らせようとしているのだ。

夕暮れの放課後、物悲しい音楽を聴きながら、平良《ひら》は学校で飼っているうさぎに給食のパンをやっていた。そのとき、背後からジャージ姿のおじさんに声をかけられた。

「うさぎ、好きなのか?」

学校にいるのだから教師なのだろう。けれど平良の学年ではない。知らないおじさんに等しい教師の問いに、胸が嫌な感じにどきりとした。あ、くるかもしれない。そう思いながら口を開く。好きです、という簡単な言葉を返すために。

「す、す、す、す」

ああ、やっぱり。また言葉が出てこない。顔を赤くして、服で見えないところに汗をかきながら「す」を連発する平良に、ジャージ先生が困ったように首をかしげる。

「そうか、好きなんだな。暗くならないうちに帰りなさい」

ジャージ先生は平良の頭をポンポンと優しく撫でて行ってしまい、平良はパンを手にうつむいた。どうしてだろう。好きです、なんて簡単な言葉なのに。

「……好きです」

ためしに言ってみると、あっけなく言葉はこぼれて絶望した。

家族や慣れた友達と話しているときはそうでもないのに、緊張すると言葉が出てこないときがある。国語の本読みをあてられたときなど悲惨だ。しんとした教室で、みんなが自分の言葉を聞いている。しどろもどろになる平良を、みんながくすくす笑いで見る。

小学校に上がったばかりのころ、担任から報告を受け、両親は平良を病院へ連れていった。吃音症《きつおんしょう》と診断されたが、あまり神経質にならないようにと医者は言った。そして平良には緊張したときは大きく呼吸をして、落ち着いてから話すようにとアドバイスをした。アドバイスは役に立った。でもパーフェクトじゃない。気持ちを整える前にどきっとしてしまうと、もうだめだ。さっきみたいになる。す、す、す、す。

さらに厄介なのは、緊張したときが多いというだけで、吃音はいつどこでくるかわからないということだ。すすすすとか、かかかかとか、いきなり豆鉄砲みたいな短音を打つ平良はクラスメイトから気持ち悪がられ、平良は自然と無口な子供になっていった。

なにかを問われたときは、緊張しないよう何度か呼吸を挟むのが習慣になり、相手がじれったくなったころ、ようやく話しはじめる。当然、クラスメイトたちはいらだつ。平良はトロいやつと言われるようになった。

嫌な気分だったし、悲しい気持ちだった。

それでも、気持ち悪いよりはトロいのほうがよっぽどマシに思える。

ふうと子供らしくない溜息《ためいき》をついて、平良は残りのパンをうさぎ小屋に置いて下校した。用水路の脇を歩いていると、向こうから黄色いものが流れてくるのが見えた。誰かが落としたのか、捨てられたのか、クルンとした睫《まつげ》が描かれた、つぶらな瞳の黄色いプラスチックのアヒル人形だった。確かアヒル隊長という名前がついている。それがコンクリートの用水路を流されていく光景に、平良はなんともいえない共感を覚えた。

本当ならあたたかいお風呂や子供用プールをプカプカ浮いていただろうに、なぜか汚い用水路を流れていく羽目になったアヒル隊長。彼の人生になにがあったのか。

アヒル隊長は、好きで汚い用水路を流れているわけじゃない。

自分も同じだ。好きで言葉を詰まらせているわけじゃない。

世の中はうまくいかないことだらけだ。

流れていくアヒル隊長を適当な敬礼で見送り、平良はまた家路をたどった。

中学に上がると、小学校よりも明確にジャンルわけがされるようになった。学校という場所はカースト制度で成り立っていて、上・中・下・空気・ゴミという感じのピラミッドを作っている。そして無口な暗いやつとして定着していた平良が、ピラミッドの底辺あたりに組み込まれるのは自然なことだった。

底辺は底辺同士でグループを作るものだが、無口で暗い平良は、親しい友人のいない野良底辺だった。野良は学年に数人いて、その中でもゴミに分類されている女子がひとり。その女子は身分もわきまえず、ピラミッドの頂点にいる男子に馴れ馴れしく話しかけた罪で、同じく頂点にいる女子たちからひどくいじめられていた。無礼討ちの現代版だ。

いつもぼんやりしている平良は、無害な存在としていじめられることはなかった。その代わりに、いるのに見えない空気のように扱われた。小学校までたまに一緒に遊んでいた山《やま》ちゃんはサッカー部に入り、急に垢抜《あかぬ》けて、今では廊下ですれ違っても知らんぷりをする。とうとう山ちゃんの目にも、自分は見えなくなってしまったのだ。透明人間だ。

もちろん嫌な気分だったし、悲しい気持ちだった。

それでも、いじめられるより透明人間のほうがよっぽどマシに思える。

小学校のときと同じ回路を通って、また一段下がってしまったことを感じた。

上を見て発奮する人間もいれば、下を見て安心する人間もいる。後者は落ちることはあっても上がることはない。わかっているのに、今この瞬間の心の避難場所を求めてしまう。そういうとき、いつも用水路を流れていくアヒル隊長が胸をよぎる。

なるべく心を平らかにすること。刺激に敏感にならないこと。

汚れた人工の川を、クルンとした睫で流れていったアヒル隊長のようであれ。

微妙なユーモラスに満ちた映像に自分を重ねることで、情けない現実を映画の中のことみたいにしたかった。

そんな風に自分の気持ちを守る術《すべ》をこっそり編み出していたのに、「友達がいなくて、学校で浮いているようです」なんて無神経極まりない報告を両親にした担任を、平良は珍しくハッキリと憎んだ。中二の夏のことだった。

「すごいわね、こんな景色初めて見たわ」

眼前に広がる景色に向けて、母親が目を輝かせる。

「ほら、一成《かずなり》、好きなように撮ってみろ」

父親が平良の薄っぺらな肩に手を置き、ほらほらと前へ向けて押し出す。

ふたりの勢いに押され、平良は中学生にはもったいない高価なデジタル一眼レフを手に一歩踏み出した。白樺《しらかば》林を背景に、一面咲き誇るカラフルな百合《ゆり》の群生に向かって機械的にシャッターを切る。橙《だいだい》、桃、赤、白、黄色。目がちかちかする。

「天気もいいし、きてよかったわね」

「ああ、一成も楽しそうだし」

背後で両親がささやき合っている。

平良は聞こえないふりをする。

担任教師の不穏な報告を受けて、両親が夜遅くリビングで話し合いをしているのを立ち聞きしたのは一ヶ月ほど前だ。原因だろう吃音に関しては軽度だし、多くは成人するまでに治るというからそれを願おうと、父親が母親を慰めていた。

なにか熱中できる趣味でもあればいいんだけれどという両親の声を背に、平良はこっそりと部屋に戻った。心の中は悲しさと口惜《くや》しさとみじめさにあふれていて、学校だけでなく、家まで荒らしたあの教師を許せなかった。

次の週末、誕生日でもないのに父親がプレゼントをくれた。ゴルフの景品で当たったのだと言うが、ゴルフなんていつ行ったんだろう。開けてみると、中にはカメラが入っていた。デジタル一眼レフで、最近よくCMをしている高価なものだ。

なにか熱中できる趣味でもあればいいんだけれどという両親の話を思い出し、これに行き着いたのかと思った。写真はひとりで撮れるし、外に行く機会も増えるし、文系男子の趣味としてはまあまあ恰好いい。とりあえず、両親の気持ちを無にしてはいけない。

「ありがとう、大事にする」

ぎこちない笑顔を作ると、両親はホッとしたようにほほえんだ。

「今度の休み、撮影しにどこか行こうな」

そして今日、平良は百合に向かってシャッターを切り続けている。

右を向いても左を向いても百合、百合、百合で、リフトで登った上にもさらに百合展望台がある。そんなに百合ばかり植えてどうするんだろう。これってそんなに綺麗か？　ああ、それとも食べるのかな。茶碗蒸しに入っている百合根はこの百合の根っこなのだろうか。

「カズくん、カズくん、お父さんとお母さんも撮って」

振り向くと、母親と父親が笑顔でピースをしていたので、「はい、チーズ」と一眼レフには似合わないかけ声をかけて撮った。

帰るころには、平良はくたくたになっていた。両親をがっかりさせないよう、らしくなく笑ったりはしゃいだりしたせいだ。

翌日、写真をパソコンで再生させてみたが、やっぱり綺麗だと感じなかった。白樺の緑の葉と白い幹。カラフルすぎる百合。橙、桃、赤、白、黄色。すごく人工的で、自然ではありえない風景に、じっと見ていると気分が悪くなってきた。

マウスを持って、画像加工ソフトで橙の百合をひとつ消してみた。

桃色も、赤も、白も、黄色も、流れ作業みたいにひとつずつ消していった。

なにも考えていなかった。

馬鹿みたいに穴だらけの写真を見て、ようやく我に返った。

やっちゃった――。

両親がよかれと思って買ってくれたカメラで、よかれと思って連れていってくれた場所で撮った写真を台無しにした。クリックひとつで元に戻せるけれど、やってしまったということが問題だ。そそくさと復元し、次の写真を開くと両親が並んでピースをしている写真で、罪悪感はピークに達した。

ごめんなさい。ごめんなさい。こんな俺でごめんなさい。

ひたすら謝る平良の鼓膜に、かかかか、ききききき、と鳥の鳴き声みたいな声が混じりはじめる。胸がぐうっと苦しくなって、アヒル隊長、アヒル隊長、と師匠の名を呼んだ。

――なるべく心を平らかにすること。刺激に敏感にならないこと。

――汚れた人工の川を、クルンとした睫で流れていったアヒル隊長のようであれ。

鈍感であるほうが毎日は生きやすい。けれどその日のアヒル隊長は激しい流れに巻かれ、あちこちコンクリートの壁にぶつかって満身創痍《そうい》になった。


高校に上がって二年目の春、クラス替え初日は朝から緊張していた。

まずは自己紹介からはじまるこの日が、平良は絶望的に苦手だ。クラスわけの貼り出しを見て憂鬱《ゆううつ》はさらに増した。去年はおとなしい生徒が多かったが、今度のクラスは学年でも派手な連中が固まっていて、平良のような生徒には危険度が高い。

吃音はいまだにあるけれど、長年の訓練のおかげで、それほど致命的な失敗はしないようになっている。うつむきがちで無口な平良はただの底辺ぼっちと認識されていて、それでいいと思っている。病気もちと下手に同情されて特別視されるより、どこにでもいるピラミッドの下あたりと、視界全体からスルーされるほうが胸は痛まない。

――この一年、どうか平和にすごせますように。

そう願いながら、平良は新しい教室に入った。出席番号順の席に座り、長めの前髪の隙間から、目だけで教室を見回してみる。すでになんとなくグループができている。みんなぼっちにならないよう必死なのだ。クラス替え初日の教室は明るくにぎやかな戦場で、みんな架空のライフルをかついで闘っている。平良はそれをただ見ている。

チャイムが鳴って、担任が入ってきた。短い挨拶《あいさつ》のあとお決まりの自己紹介になり、平良は周りにわからないよう深呼吸をした。一回、二回、三回。吸い込んだ空気が胃を圧迫して下腹を安定させていく。小学生のころから十年以上、ある程度は慣れている。

みんなが順番に名前や趣味などを言っていく。担任はひとりずつにツッコミを入れてみんなを笑わせている。その間、平良は抗《あらが》わずに流れゆくアヒル隊長の映像を思い浮かべて緊張を遠ざけていた。

自分の番が近づいてくる中、斜め前の男子が立ち上がった。

「清居奏《きよいそう》です」

ふっと引き潮に乗せられたみたいな錯覚を起こした。引力めいたものに引きずられて顔を上げると、教室中の生徒が一斉にそちらを見ていた。

平良の位置からは、清居という生徒の顔は見えない。その分、信じられないくらい美しい顎《あご》のラインや細くて長い首が見えた。頭が小さいから全体のバランスがすごくいい。彼は名前を言っただけで、それ以上の自己紹介をすることなく腰を下ろした。

「おいおい、他になにかないのか。趣味とかは」

担任の問いに、彼は首をかしげた。

「特にない」

机に頬杖をつき、片足を自分の膝《ひざ》に乗せている。だらしない姿勢。なのにすらりと手足が長いので、モデルがポーズを決めているように見えてしまうのがすごい。

彼はおもしろいことなどなにも言っていないのに、女子たちは恥じらったようにクスクスと笑い、男子もニヤニヤ笑いをしている。彼はピラミッドの頂点にいる人種らしい。

「じゃあ次、男子の十三番」

それが自分への呼びかけだとも気づかず、平良はほっそりした後ろ姿を見つめていた。

「おーい、十三番、どした。そこのおっきいの」

ふいに彼が振り返り、どきりとした。

それは、目の前でパチンと手を叩《たた》かれたみたいな衝撃だった。

彼は美しかった。すっと筆を流したような目尻。通った鼻筋に薄くて形のいい唇。神さまが慎重に作り、配置したみたいな目鼻立ちは、恰好いいというより美しい。

彼の目が自分をとらえ、上から下にざっと値踏みするように眺め、すぐに興味を失ったように視線がそれる。価値なし。一瞬でジャッジを下されたのがわかった。怒りも悲しみもない。そういう不遜《ふそん》さは、ちょっと信じられないくらい美しい彼には似合いすぎていた。

ぼうっと阿呆《あほう》みたいに目を奪われていると、ぽんと頭に軽い衝撃を感じた。見上げると、平

良のすぐ横に丸めたノートを持った担任が立っていた。

「何度呼んだら気づくんだ。自己紹介。初日からボケてんじゃないぞ」

平良は蹴っ飛ばされたように立ち上がった。名前だけ言おうと思っていた。平良一成です。たったそれだけだ。なのに最初の一音でけつまずいた。

「ひ——」

あ、やばい。そう思ったときにはもう止まらなかった。

「ひ、ひ、ひ、ひ、ひ、ひひ」

彼も、担任も、みんながぽかんとこちらを見ている。単音の豆鉄砲を打ちながら、顔が急激に熱を持っていく。背中や腋《わき》の下に大量の冷や汗をかく。

「ああ、わかった。平良一成な。着席していい」

なにかを察した担任がそう言ってくれたので、平良は椅子《いす》に座った。

なにあれ。

やばくね?

笑ってたの?

いっちゃってるね。

教室のあちこちでささやく声がする。

顔を上げなくても、白い目が自分をぐさぐさ突き刺す。

ああ、アヒル隊長。色んなことに慣れてきたつもりでも、このときばかりはいつも消えてなくなりたい。今まで重ねてきた恥に新たな恥を上塗りし、自分を閉じ込める壁がまた厚みを増していく。どうして自分はこんなんなんだろう。

自己紹介は進んでいき、そのうちひそひそ声も聞こえなくなった。

恐る恐る顔を上げると、春の日差しに満ちた教室に、クラスメイトの後ろ姿が妙にしゃんと目に映る。死んでしまいたい自分と、みんなの時間は一ミリも交差していない。

再び伏せた視界の隅で、ちらちらと細かく動く指に気づいた。

清居だった。彼はだるそうに椅子に腰かけ、長い足を組んでこっそりスマートフォンをいじっていた。細くて長い指先が、小さな画面を上下左右にスワイプする。まるで踊っているような指先。自己紹介は続いているのに、まったく聞いていない。

平良はそろそろと視線を上げていく。

芝居の幕が開くように、彼の全景が見える。

形よく後頭部が張り出した小さな頭。長い首。手足。薄茶色の髪は日差しに輪郭をとかして光っている。スマートフォンをいじるのをやめた彼は、机に頬杖をついて退屈そうにあくびをした。死にたい自分とは逆の意味で、彼とクラスメイトの時間も一ミリも交差していない。

彼と、自分だけが、ひとりだった。

化学室の掃除をしていると、いきなり後ろから男子にぶつかられ、洗っていたビーカーを落としそうになった。ぶつかった男子が「あ、わりい」と適当に謝る。

「三木《みき》、ヒイくん、いじめるのやめろよ」

「いじめてねえよ。よろけてぶつかっただけだし」

「いいや、今のはわざとだった。ヒイくん、かわいそうじゃん」

そこでみんながゲラゲラと笑う。この笑いに意味はない。笑いは一番簡単な団結であり、排斥であり、対象にされている平良はうつむきがちに試験薬のついたビーカーを洗い続ける。掃除班の六人中、まともに掃除をしているのは平良だけだ。

空気でもぼっちでもいい。この一年、平和にすごせますように。

クラス替えから一ヶ月、平良のささやかな望みは跡形もない。

初日の「ひひひひ」事件で、平良には「ヒイくん」というあだ名がついた。ひどいあだ名だが、ぱっと聞いただけでは由来まではわからない。廊下で大声で「ヒイくん」と呼ばれていても、教師は仲良きことは美しきかなという顔ですれ違っていく。

侮蔑《ぶべつ》的なあだ名をつけたのは、クラスでも目立つ男子のグループだった。別段成績がよかったり、運動部のエースだったりするわけではない。ただナチュラルにでかい態度と声で周りを圧する。それは人間になる寸前のお猿が集う学校という場所では最強だった。ハッキリした理由なんかなくても、こいつらには逆らわないほうがいいなと思わせれば勝ち。

その逆が自分だ。理由なんてなくても、こいつは踏みつけてもいいと思われたら負け。一旦組まれた身分制度をひっくり返すのは、どこの世界でも至難の業だ。

「あちー、ジュース飲みたい」

グループの中でも一番派手な城田《しろた》が言った。ツンツンした茶髪が馬鹿っぽい。

「俺もコーラ。赤いほう」

三木が調子を合わせ、他のふたりも俺も俺もと言いだす。

――くるかな。

案の定、ヒイくーんと犬みたいに呼ばれ、平良はあきらめの溜息をついた。

最初はひどいあだ名で呼ばれてからかわれるだけだったが、今ではジュースだおやつだと購買や学校前のコンビニに走らされる。完全なパシリ扱いだ。それでも、陰湿ないじめよりはマシだと思う。思うように努力している。あれよりマシこれよりマシと、あきらめて受け入れることでどんどん下層に落ちていく。このループはいつまで続くんだろうとたまに考える。社会に出てもこうなら、自分の未来には夢も希望もない。

「ヒイくーん、ジュース買ってきて」

これからの人生を思って憂鬱になっていると、再び城田に呼ばれた。買い出しにいくのはいいとしても、その間、こいつらが掃除をしてくれるわけではない。帰りがまた遅くなるなあとうんざりしながら、洗っていたビーカーを流しに置いたときだった。

「あとにしろよ。帰んの遅くなるだろ」

清居が言い、全員の目がそちらに向いた。

「さっさと掃除終わらせて、マック行こ」

清居は窓際の机にあぐらで腰かけ、足に置いた『ジャンプ』から視線を上げずに言った。うつむいているので、長くて細い首が一層引き立っている。

「そうだな。そっちのがいいか」

三木があっさり言い、「だべ」と城田がうなずく。四人はなんとなく清居の周りに集まり、これはそろそろ打ち切りだなとかジャンプをのぞき込んで話している。ジュースの話は綺麗サッパリ消え失せ、平良は洗いかけだったビーカーを手に取った。

さっさと掃除終わらせて——と清居は言ったが、清居が掃除をすることはない。そんなものは当然のように平良がやるものと決めてかかっている。

清居は城田たちのグループの一員だが、特に声や態度がでかいわけではない。城田たちが周りを威嚇《いかく》するようにでかい笑い声をまき散らしているときも、清居は静かに漫画を読んだりスマートフォンを弄《いじ》っている。なのにグループの中では特別にリスペクトされている。

さっきみたいに清居の意に染まない方向に物事が行きかけたとき、清居が短く放つ一言に誰も逆らわない。思い通りにことをおさめたあと、清居は退屈そうにあくびをしたりする。その様子は、生まれついてのキングみたいだった。

「清居、こないだ一年の志麻《しま》ちゃんに告白されただろ。どうすんの」

城田がジャンプをのぞき込みながら問う。「まじ?」と三木が食いつく。「志麻ちゃん、ロリ顔なのに胸でかくていいよなあ」とみんなが盛り上がる中、清居が冷たく言った。

「却下、微妙にデブい」

「ふったの? もったいねえ」

「俺は清居の気持ちわかるわ。胸でかいのとデブは紙一重だよ」

「俺は胸でかかったらデブでも許せる。つうかぽちゃってるの好き。ぽよぽよーん」

「ねーわ」

清居が冷たくつぶやき、城田たちの大げさなほどの笑い声が化学室に響いた。

清居は異常にモテるが彼女はいない。すごく理想が高いのだと、女子たちが噂しているのを聞いたことがある。結構なレベルの女子でもあっさりふられるので、二年になった今では同じ学年で清居に告白をするチャレンジャーな女子はいなくなった。

最後のビーカーを清潔なタオルに伏せ、平良は清居たちに近づいた。すうと深い呼吸を三度して、下腹を安定させるイメージを作ってから声をかけた。

「……あの」

全員がこちらを見た。瞬間、頬に熱が集まっていく。ちゃんとイメトレをしてから声をかけたのに、緊張で心臓が激しく鳴って言葉が出てこなくなる。

「終わった？」

清居がぞんざいに聞いてくる。こくこくうなずくと、「やっと終わったか」「帰ろ帰ろ」と城田たちが化学室を出ていく。教室に鞄《かばん》を置きっぱなしなので一旦戻らなければいけない。みんなの後ろを、平良もついていく。

「清居、マック行くの？」

廊下をぞろぞろ歩きながら城田が聞いた。

「それよりカラオケ行かね？　駅前に新しいのできたろ」

「いいけど、オープンしたばっかで列すごいぞ。並ぶのだるいんだけど……ああ」

ふと清居が振り返った。

「おまえ、並んどいて」

いきなりだったので、えっと平良はうろたえてあたりを見回した。

「俺らマックで待ってるから、部屋空いたら連絡しろよ」

「あ、う、うん、えっと、連絡はどうやって？」

問うと、清居はめんどくさそうに平良に向かって手を出した。なんだ。なにを要求されているんだ。金だろうか。すうっと冷たい感覚に包まれる。

「……財布、鞄の中だから今はないんだけど」

「は？」

清居が眉をひそめ、城田たちが爆笑した。

「ヒイくん、巻き上げられる気満々じゃん」

「理想的なスレイブですな」

みんながヒーヒー笑う中、清居は不機嫌全開で平良の制服のポケットに手を突っ込んだ。うわあっと硬直したが、清居の目当てはポケットの中の携帯だった。

「ガラケーかよ」

清居は舌打ちし、平良の携帯になにかを打ち込んだ。ほらと返された。

「……これ、清居くんの？」

画面に打ち込まれた番号を見ると、清居は『あー、もうまじうぜえ』という顔をした。さっさと平良に背を向けて歩き出し、城田たちは笑いをかみ殺している。

平良は十一桁《けた》の番号をまじまじと見た。操作ミスで消したりしないよう、慎重に新規連絡先に登録する。友達のいない平良の携帯には、登録されているアドレスは少ない。
キ、ヨ、イ、ソ、ウ。
慎重にボタンを押していく。

その間にも清居たちは先に歩いていき、慌てて追いかけた。

教室に戻ると、ちょっとした騒ぎが起きていた。掃除班の男子がふざけてバケツをけっ飛ばしてしまい、水浸しの床を女子たちが嫌そうに見下ろしている。

「ちゃんと拭《ふ》いてよね。吉田《よしだ》らがふざけてこかしたんだから」

無情に言い捨て、女子たちはゴミを捨てにいってしまい、残された吉田たちは「めんどくせえなあ」、「雑巾さわんのやだよ」と言い合っている。

「ばーか、びちゃびちゃで歩きにくいんだよ。おまえらちゃんと掃除しとけ」

城田が大げさに濡《ぬ》れた床をまたぐ。おまえが言うなと心の中でムカつきながら、平良は自分の机に向かった。早くカラオケボックスに並ばなくてはいけない。鞄を持って教室を出ようとしたとき、「あ、ヒイくん、待って」と呼び止められた。

「俺？」

呼び止めたのは城田たちのグループではなく、吉田と他の掃除班の男子たちだった。なんだか嫌な予感がする。今まで城田たち以外から「ヒイくん」と呼ばれたことはない。

「あのさあヒイくん、悪いんだけど、ここ拭いといてくれない」

吉田がへらへら笑って頼んでくる。ぎゅっと心臓が苦しくなった。

「……今、急いでるから」

「え？　ヒイくんの分際で急ぐこととかあんの？」

吉田が笑いを引っ込めて声を低くする。

「ヒイくん、掃除、得意じゃん」

平良が城田たちに使われていることは、クラス全員が知っている。残酷な嗤《わら》い方をしている吉田の横で、他の掃除班の男子は困ったように目配せしている。残っている女子たちは「やめなよ」と小声でつぶやいている。みんな、ことの成り行きを静観している。

平良はうつむいて自分の足元を見た。今、自分の前にはラインが引かれていて、こちら側に踏みとどまるか、向こう側に引っぱられるかの選択を迫られている。ここはあきらかな分岐点だ。ここを間違えたら、城田たちからだけではなくクラス中の奴隷にされる。

そうなったら本当に悲惨だ。耐えられる気がしない。どうしよう。どれだけ考えても、小学生のころからずっと底辺ループに巻き込まれ続けてきた自分には抗う術がない。

――なるべく心を平らかにすること。刺激に敏感にならないこと。

――汚れた人工の川を、クルンとした睫で流れていったアヒル隊長のようであれ。

唇をぐっとかんだとき、めんどくせーと清居がつぶやいた。

「おまえ、なにしてんだよ。早くカラオケ予約してこいよ」

清居が言い、教室にいる全員の視線が彼に集中した。

「……あ、でも」

平良は清居と吉田を見比べた。

おろおろしていると、清居が眉間《みけん》に皺《しわ》をよせた。

「吉田」

清居に呼ばれ、吉田はわずかに肩を震わせた。

「おまえ、なにいきなり『ヒイくん』とか呼んでんの？」

「え、だって、清居たちも呼んでんじゃん」

吉田がまばたきを繰り返す。

「俺らが呼んでるから、なに？」

軽く顎を上げ、清居が冷たく吉田を見据える。

「なあ、なんだよ」

教室がしんとする。みんなが固唾《かたず》を呑んでいる。

「……あ、だから、なんていうかさあ」

みんなの前なのでかろうじて笑顔を保っているが、吉田は完全にびびっている。目力だけで吉田をぺちゃんこにしたあと、清居はぐるりと教室を見回した。全員がさっと目を伏せる。

「じゃ、かーえろ」

静まり返った教室で、清居はしらけたように言った。それがなにかの合図のように緊迫した空気がゆるむ。みんながギクシャクと日常に戻り、清居は城田たちを引きつれて、ぞろぞろと教室を出ていく。みんながさりげなく道を開ける中、清居が振り向いた。

「おまえはカラオケ行っとけよ」

投げられた冷たい視線、言葉に、全身が痺《しび》れた。

頭のてっぺんから足の先まで、感電したみたいにビリビリしている。

衝撃にぼうっとしている間に清居たちは行ってしまい、我に返った平良は慌てて教室から走り出た。吉田はもう平良を呼び止めなかった。

走っていったので、昇降口で清居たちに追いついた。清居たちはいつもだらだら歩く。平良は下駄箱からスニーカーを出して上靴を履き替えた。

「あ、あの、清居くん」

深呼吸もなしに呼びかけた。みんなが一斉に振り返る。

「い、い、行ってきます！」

声はみっともないほど上ずっていた。清居が「は？」と目をすがめる。ぐわっと顔全体が熱くなる。びよんとバネ仕掛けみたいに頭を一度下げ、踵《きびす》を返してダッシュした。何秒間かのあと、背後でどわっと爆笑が響いた。

「いいよー、いいよー、礼儀正しいスレイブ最高」

「ヒイくーん、俺らのためにがんばってー」

背後で城田たちがはやし立て、馬鹿野郎、おまえらのためなんかに走ってないと心の中で言い返した。自分が走るのは清居のためだ。掃除だろうが、カラオケの列待機だろうが、どんなくだらないことでも、清居に命じられたら自分は走る。

だって、さっきの清居はどうだ。

あんな自分勝手で強い人間を、平良は初めて見た。

清居は自分を助けてくれたわけじゃない。あの場面じゃなかったら、誰が平良をヒイくんと呼ぼうが、パシリに使おうが、どうでもいいと流していた気もする。清居は自分が命じたことを後回しにされることが我慢ならなかった。たかがそれだけの理由で吉田を潰《つぶ》した。

小学校のころから延々と負のループに巻き込まれ続け、ラインの向こうに落ちそうだった自分を、清居はごく自己中心的な理由で引っぱり戻した。優しさとか、正義感とか、そういう褒められるものではないところで世界を回した。それも、いともあっさりと。

筋もなにも通っていない。でも清居にはそれを押し通す力がある。

なんてすごいんだろう。なんて恰好いいんだろう。

そう思う自分は、多分、間違っているんだろう。

でも悲しいかな、優しさや正しさが救いにならないことは嫌というほど知っている。

汚水を流れていくアヒル隊長を、自分がただ見送るしかなかったように、正しさや優しさは底辺ループに巻かれて落ちていく平良に同情はしてくれても、清居のように力任せにつかんで引きずり上げてはくれなかった。

誰もなにもしてくれないと拗《す》ねる前に、ほんの少し勇気を出してほしいとか、助けてと声に出してほしいなんて言う人がいる。あまりに真っ当すぎて、それを突きつけられたこっちは力足らずでごめんなさいとうなだれるしかない。完全無欠なものに抵抗はできない。

家族で夕飯を食べているとき、いじめで中学生が自殺なんてニュースが流れるたび、ひやりとしていた。考えるな、共感するなと、ひたすらアヒル隊長で心をいっぱいにしていた。

駅までの道を全力ダッシュで走る。

いつもは伏せている顔を今日はしっかりと上げている。

自分を取り巻く世界を見たくなくて、目をすっぽり覆いかくすほど伸びた前髪を風が巻き上げる。視界いっぱいに世界が広がる。ちっとも明るくない、埃《ほこり》っぽくにごった世界。でも今日は怖くない。なぜなら、さらされた額には所有の印が押されているからだ。

キヨイソウ。

黒のサインペンで強く、くっきりと額に書かれてしまった。子供が持ち物に名前を書くように、自分はキヨイソウのものになってしまった。大事にしようが、振り回して遊ぼうが、八つ当たりで踏みつけようが、飽きて捨てようが、どう扱ってもいいものにされた。

残酷で輝かしい烙印《らくいん》が自分の額に押されている。そこには、優しいものや正しいものや儚《はかな》いものの全てを簡単になぎ倒す、春の嵐のように美しく圧倒的な力が宿っている。

便利に使えるパシリ要員として、平良は清居たちのグループの末席に加えられた。相変わらずヒイくんと呼ばれているが、吉田の一件で、グループ以外の生徒が平良をヒイくんと呼ぶことはなくなった。ゴミはゴミでも王さまのゴミという複雑な存在として、平良はクラスメイトから認知されたのだ。

「ハムレタスサンドふたつ。それとなんか甘いの。普通のサイダー」

四時間目が終わると、平良は清居のもとへ馳《は》せ参じる。清居がその日のメニューを言う。購買で買ってこいということだ。清居は母親の弁当を持ってくることもあるが、そういうときでもジュースだけはほしがるので、平良は毎日購買に走る。

「ヒイくん、俺、パピコのコーヒー味」

「俺はカレーパン、あ、やっぱホットドッグにする。それとガリガリ君の梨味」

夏を目前に控えた梅雨の晴れ間、ムッとするような暑い日が続き、他の連中も口々にアイスを頼んでくる。買いもらしがないように平良は携帯のメモ帳に頼まれたものを不器用に打ち込んでいく。みじめさはまったくない。

自分は清居のために使いに走り、そのついでに他の連中の使いもする。自分の主人は清居だけだ。パシリはパシリでやっていることは同じだが、自己満足というのはすごい。最近はアヒル隊長のことを思い出すこともなくなった。

全てをメモし終えると、平良は教室を走り出た。使い走りのときは清居を待たせないよう駆け足を心がけている。買い物を終えて戻ってくると、みんながわさわさと袋から自分の品を取り、買ってきたものの代金を平良に渡す。

「あ、やばい。金ない。ヒイくん、来週でいい？」

財布を開きながら城田が言い、おいおいと心の中でつぶやいた。城田からは昨日買ったパンの代金ももらっていなくて、こいつそんなこと言って来週も払わないいんじゃないか、もしやこれはカツアゲの前兆かと平良は危機感を募らせた。

こういうのが続き、そのうち他の連中まで払わなくなったりするんだろうか。小遣いだけじゃまかなえなくて、自分は母親の財布から金を抜き取るようになるんだろうか。丸い輪っかの形をしたロープを思い浮かべていると、すっと手が伸びてきた。

「ほら」

清居の指には五百玉がつままれていて、反射的に手を出すと、ぽとんと平良の手に硬貨が落ちてきた。しかし清居の分はもう払ってもらっている。

「清居、いいよ。来週にはバイト代入るし」

「じゃあ来週、俺に返せよ」

「そんなめんどくさいことしなくても――」

「いいって。そいつの顔見ろよ。引きつってんじゃん。親や先生に泣きつかれんならマシだけど、自殺されてネットにこいつらが犯人でーすって顔さらされるとか勘弁だし」

清居の言葉に、城田たちがこちらを見た。

「ヒイくん、自殺とかすんの？」

したくねえよ、させんなよ——と喉元《のどもと》まで出かかったが、出かかるだけで出てこない。無言で口元を引きつらせて笑みらしきものを作ると、城田たちは「こわ……」と言った。

「ったく、ビビりはしょうがねえなあ」

城田は偉そうに舌打ちし、清居に「悪いな」と言った。清居は「おう」と簡単に答えただけで、サンドイッチのセロファンをはがしている。

清居は普段、あまり周りのことに関心がないように見える。城田たちがくだらないことで騒いでいるときも、退屈そうに携帯をいじっていたりする。

けれど清居は、見ていないようで周りを見ている。さっきもそうだ。自殺されて——なんて平良が一瞬思い浮かべた凄惨《せいさん》な未来をあっさり読んでいた。いじめるほうはこっちの気持ちなんて考えもしないと思っていたのに。

清居がいなければ、馬鹿な城田たちは加減しらずに奴隷を追い詰め、いつか取り返しのつかないことをしでかすだろう。それを清居が適当なところでブレーキをかけている。

——さすが、俺のキングだ。

心からの賞賛を捧げ、清居からもらった五百円玉を財布とは別のパスケースに入れた。城田たちからの集金は財布の小銭入れに放り込むが、清居の手を経てきた金は特別だから、うっかり使ってしまわないように財布にはしまわない。

いつものようにわけながら、あれと首をかしげた。清居からの金が多い。城田の分を別にしても、百円多かった。返さなくてはいけない。

「清居くん」

声をかけると、清居がこちらを向いた。この一瞬、いつも胸が詰まる。迫力の目力に圧《お》され
ながら、平良は百円玉をのせた手のひらを差し出した。

「なに？」

「お金、多かった」

清居は平良の手にのった百円玉を見た。

「やるよ」

えっと目を見開いた。

「でも……」

「駄賃。アイスでも食えば？」

城田たちが吹き出した。「ヒイくん、よかったな」「アイス食べて、くれぐれも自殺とかしな
いようにな」とからかう。平良は硬貨をにぎりしめた。

「あ、あ、ありがとう……っ」

真っ赤な顔で詰まりながら、清居だけを見つめて礼を言うと、城田たちがこらえきれないと
いうように爆笑した。清居は嫌そうに眉をよせ、「うざ」と一言つぶやいた。

自分の席に戻り、平良は清居からの駄賃を大切にパスケースにしまった。多分、ここは馬鹿

にしやがってと怒る場面なんだろう。でも怒れない。思いがけないプレゼントをもらったように胸が高鳴る。傷つけながら喜ばせる。清居にしかできない技だ。清居と出会ってから、自分の中の感情システムはおかしくなった。

その日の放課後、いつもは素通りする駅ビルの店に立ち寄った。ナチュラル系の雑貨が並んでいて、制服を着た女の子たちがかわいーと言い合っている。

かわいいもの以外立ち入り禁止と看板が立ててあるような店内をうろついて、平良は目当てのコーナーを見つけた。パステルカラーや水玉模様の器が並んでいる。平良はなにかが違うなと首をかしげ、他にはないのかなとあたりを見回した。

「ちょ、なにあいつ」

背後でささやく声が聞こえ、平良はびくりと動きを止めた。

「彼女にプレゼントかな」

「いないっしょ。アレには」

アレ……ですか。

「でも背え高いよ」

「高いだけじゃねえ。顔は？」

「フツメン。前髪長くてあんま目え見えないけど」

「きも」

一刀両断。こういうときの女の子は、砂糖細工の刀をひょいと振り下ろすみたいなイメージがある。あたりに凶悪な砂糖が飛び散る。どうもごめんなさい。身分もわきまえず、女子のみなさんの花園を荒らしてしまいました。平良はすごすごと店を出た。

帰りの電車に揺られながら、どうしようかなと考えた。さっきの店のものはかわいいだけでキリッとしたところがなかった。水玉とか余計な模様はいらない。もっとシンプルで、甘さよりも力強さと透明感がほしい。理想を想像する中、あ、と思い浮かぶものがあった。

ちょうど駅に着き、開いたドアから平良は飛び降りた。家まで十分ほどの道のりを走り、玄関に靴を脱ぎ散らし、台所に駆け込んだ。

「母さん、お祖父《じい》ちゃんの遺品ってどこにしまった？」

夕飯のしたくをしていた母親が振り返る。

「急にどうしたの」

「実験に使うフラスコみたいなのあっただろう。どこにあるの？」

「屋根裏にしまったと思うけど」

平良は階段を上がり、さらに梯子《はしご》をかけて屋根裏に上がった。天井が低いので、中腰で進むと制服の膝が埃まみれになった。地層みたいに積み重なった段ボール箱を検分していくと、「平良方祖父・遺品」とシールが貼られた箱を四つほど見つけた。それを片っ端から開け、目当てのものを取り出し、片付けもしないで一階に下りた。

「やめて、そんな埃まみれで台所に入ってこないで」

入口でストップをかけられたので、洗面所に進路変更した。屋根裏から取ってきたフラスコに液体ソープをかけて洗い、乾いたタオルで拭き上げていく。

ああ、やっぱりとても綺麗だ。さっきの甘ったるい雑貨とは全然違う。手のひらに吸いつくような丸い底面。実験に使う丸底フラスコと違い、底面のガラスに厚みをもたせて自重で自立するようになっている。

「そういうものに興味を持つなんて、お祖父ちゃん似なのかしら」

母親が洗面所をのぞきにきた。

「それ、まあまあ有名な作家ものなのよ。平良のお祖父ちゃんは趣味人だったから、陶器とかお軸とかたくさんお持ちだったわ。だからお祖父ちゃんたちをお招きするときは本当に緊張したのよ。お花ひとつ取っても下手なものには生けられなくて」

「ふうん」

「お祖父ちゃんの審美眼はカズくんに受け継がれたのかしら」

なんだか嬉《うれ》しくなった。二年前に死んだ祖父は確かに趣味がよかった。吃音のせいで内向的な平良を、よく美術展や句会や茶会に連れ出してくれた。猿みたいに残酷な同級生がひしめく学校より、祖父が見せてくれる世界のほうが美しいものが多かった。

「カメラもずっとやってるし、将来は美術系の仕事とかいいかもね」

「無理だよ。そういう学校出ないと」

「そういう大学に進めばいいじゃない。カメラもね。たまには撮ったもの見せて？」

「嫌だし」

短く答え、平良は学生鞄とフラスコを手に自室に向かった。

幼いころ、両親に買い与えられたカメラは数少ない趣味のひとつになっている。初めて連れていってもらった撮影は悲惨だったが、加工を覚えてから楽しくなった。

休日に繁華街に出て、大量の人間が行き交う風景を撮り、加工ソフトで人間だけを消していく。ぽっかり消えた空間には、緻密《ちみつ》に風景を埋め込んでいく。

細かくて手間のかかる作業だけれど、その間は没頭できた。日常の憂鬱や怒りや情けなさが遠ざかり、孤独と紙一重の白紙の空間に気持ちが安らいだ。そうしてできあがる風景が好きだった。人間と対になっているはずの都市の風景から、忽然《こつぜん》と消えてしまった人間たち。悪さばかりした挙句、予告なく神さまに罰された世界みたいだった。

血みたいなオレンジのフィルターをかけた日には、おどろおどろしさ満点になる。平良の好みとしては、露出で透明感を出した明るい世界から、ナチュラルに人間だけがいないほうが好きだ。変に気味悪い演出を施すより、そのほうが喪失感が際立つ気がする。

我ながら暗いと思う。だから写真は両親には見せたことがない。吃音持ちで、最後に友人が訪ねてきたのは小学校のとき。息子が学校で浮いていることを知っている両親にこんなものを見せたら、びっくりを通りこして精神を病んでいると思われかねない。

ひとり息子として申し訳ないと思う。けれど、自分でもどうしようもないのだ。

自分の不満や不安は、いつも回遊魚のように自分の中をグルグル回るだけ。

出口のない物思いにケリをつけ、平良は勉強机にフラスコを置いた。引き出しを開け、間仕切りトレーにわけてあった小銭をそっと取り、一枚、フラスコに落とす。チャリンと音が響く。もう一枚。もう一枚。使いに走るたび、清居から受け取った小銭たち。最後にパスケースから今日の分を取り出し、落とした。

椅子に腰かけ、窓から差し込む光に青緑に光るフラスコを眺める。

ひどく満足だった。それどころか自分の許容量を越え、ゆっくりと嵩《かさ》を増して押し寄せてくる胸苦しさに耐えなければいけないほどだった。切なくて、幸せで、窒息しそうだ。初めて味わう感情。けれど自分はこの感情がなんなのか知っている。

――駄賃。アイスでも食えば？

アイスなんて買うものか。ずっと手元に置いて焦がれていたい。

この気持ちは恋という。


夏休みなんてなければいい。そんなことを思ったのは生まれて初めてだった。

春、夏、冬の長い休みは、学校という針のむしろから、ひととき平良を解放してくれるありがたいものだった。でも今は、清居に会えない休みなどクソ喰らえだと思う。こんな自分を馬鹿だと思う。底辺の身分もわきまえず、よりにもよってピラミッドの頂点に立つ、しかも同性に恋をするなんて。アヒル隊長に合わせる顔がない。

——なるべく心を平らかにすること。刺激に敏感にならないこと。

清居への恋は、アヒル隊長の教えとは対極に位置する。

「夕飯、海老フライにしようかな」

昼飯の冷やし中華をすすっていると、テーブルの向こうで母親が言った。

「魚屋さんで海老の特売してるんだって。車海老よ。カズくん好きでしょう」

うちの海老フライはいつもブラックタイガーなのに、そんな出血大サービスをしてくれるのは、夏休みに入ってから息子が毎日しんきくさい顔で家にこもっているからだ。

「お父さんが好きだし、帆立フライもしようかな」

元気づけていると悟られないよう父親の好物も入れるという細やかな気遣いに、申し訳なさといたたまれなさがマックスまで高まる。正直なところ、放っておいてくれるのが一番ありがたいのだが、そんなことは言えないので黙って冷やし中華をすすっていると携帯が震えた。またなにかの広告かなと確認すると城田からで、もしやと胸が鳴った。

【黒川《くろかわ》の花火大会。十人分、場所取りよろしく】

黒川の花火大会は地元では恒例の夏行事で、子供のころ平良も両親と行ったことがある。十人分ということは清居もくるんだろう。浜に打ち上げられた昆布みたいだった気持ちがシャキンとした。清居に会えるなら、パシリでも場所取りでもなんでもいい。

「母さん、十人で花火大会ってシート二枚で足りる？」

「え、今の花火大会のお誘いだったの？」

母親の顔がぱっと華やいだ。十人で二枚は少ない、三枚で足りるけど念のために四枚持っていきなさい。学校のお友達？　女の子もくるの？　浴衣《ゆかた》は着ていく？　次々と繰り出される質問に、うかつに母親に意見を聞いたことを後悔した。

翌日、朝食を食べるとすぐに花火が行われる河川敷に向かった。まだ設営すらはじまっていないのどかな河川敷に、持参したシートを四枚広げ、風に飛ばされないよう隅をおもしで押さえる。その真ん中で、平良は三角座りで膝を抱えた。

約束の七時まであと十時間。清居に会えるのは二週間ぶりだ。清居は浴衣を着てくるだろうか。楽しみで待ちきれない。花火大会なのだから浴衣女子も腐るほどいるだろうに、息子が男の浴衣姿を楽しみにしているなんて知ったら母親は泣くだろう。自分でも、この先の人生を思うとすごいハンデを背負わされた気もする。

なのに不思議なことに、それほど焦燥や悲観がない。ここまであからさまに清居に恋をしているのに、自分がゲイだという自覚がない。自分が好きなのは清居で、男が好きなわけじゃない。イケメンを見てもなんとも思わないし、かといって美人を見てもなにも感じない。清居以外に自分のアンテナは反応しない。清居は自分にとって特別の存在なのだ。

ひとりで待つ間、暇なので携帯でゲームをしていたが、つむじやうなじが焦げそうに熱くなってきて、ゲームどころではなくなった。昼近くなり、日差しがどんどん強くなってくる。母親に大量にもたされた水筒に入れて凍らせたスポーツドリンクをがぶがぶ飲んだ。こんなにいらないと思ったが、母親は正しかった。だらだらと汗が垂れてくる。

日傘をさし、タオルを頭からかぶり、ぐったりとシートに寝ころんでひたすら時間がすぎるのを待つ。ざわざわと人の気配が増えてくる。ああ、そろそろ夕方か。

「死んでんの？」

ふいに頭の上から声が降ってきた。のろのろとタオルを取ると、中腰でのぞき込んでいる清居がいた。うわっと小さく叫んで身体を起こした。河川敷には大勢の人が集まっていて、浴衣姿の女の子たちがカラフルな魚みたいに通りすぎていく。ちょっと待っててと慌ててシートのめくれを直しながら、あれっと動きを止めた。

「みんなは？」

そこにいたのは清居だけだった。問いかけに清居がこちらを見る。ぐっと壁に押しつけられたような圧迫感を感じる。パシリとしてグループの末席に入れてもらえるようになっても、清居のオーラには今も慣れられない。

「女、迎えにいってるから」

無視されると思ったのに答えてもらえた。

「あ、ああ、そう。女の子もくるんだ」

「おまえの分はないぞ」

冷たく言われた。あんまり勢い込んで返事をしたので勘違いされたようだ。もちろん女の子なんて期待していない。それよりも、今のこの状況に舞い上がった。

清居との初めてのツーショット。激しい動悸《どうき》に耐えていると、清居はシートに腰を下ろしてあぐらをかいた。清居は浴衣ではなく、Tシャツに細身のパンツをはいている。スタイルがいいので、なんでもない服装なのにやたらと映えて見える。ああ、耳たぶに小さなピアス。学校では見たことがないので、これは夏休みの間だけなんだろう。

「……なんなの、おまえ」

ふいに清居がこちらを見た。心臓がびくりと震える。

「え、な、な、なん、なん、なにが」

ああ、神さま、どうか清居の前でだけは吃音が出ないでほしい。でも神さまに祈るのは逆効果で、言葉が派手にもつれまくる。こういうときはアヒル隊長に——。

「おまえ、俺のことよく見てるだろ」

瞬間、アヒル隊長がしゅぽーんと飛び上がる映像が浮かんだ。それぐらい驚いた。

清居の言葉は問いではなく断定で、バレていたのかと頬に熱が集まる。いまさら見てないなんて白を切る根性はない。それよりも、自分の気持ちを伝えたいという欲求が湧《わ》き上がる。これからはじまる花火大会に高揚している周りの空気のせいかもしれない。

「そ、そ、そ、それは……っ」

からまる言葉が毛玉みたいに喉を詰まらせる。

「それは清居……、清居くんが……っ」

清居は眉間に皺をよせている。無様な自分に腹が立つ。これ以上待たせたら、もういいと言われてしまいそうだ。伏せていた目を上げ、ええいと覚悟を決めた。

「清居くんが綺麗だから」

ようやっと告げると、清居の眉間の皺が深まった。

「は？」

怪訝《けげん》な目で見られ、焦りが湧いた。

気持ち悪がられたかもしれないという不安ではなく——それは『かも』ではなくて、『確実にそう思われた』という自信がある——自分の言葉の稚拙《ちせつ》さに焦ったのだ。

綺麗だなんて、そんな簡単な言葉では清居への気持ちは表現できない。といって、長廻しのセリフみたいにベラベラ言葉を費やしても伝えられる気がしない。結局、短くて拙《つたな》い言葉をひとつ伝えただけで、それ以上はなにも言えず、ただ見つめるしかできない。

清居は眉間の皺をそのままに口を開いた。

「おまえ、きもすぎんだけど」

清居がそう言ったとき、唐突に気づいたことがあった。

おまえ。

……おまえ。

………おまえ？

そういえば、清居は平良を一度も『ヒイくん』と呼んだことがないんじゃないか？

「おまえって、いつか誰か刺しそうだよな」

なぜこんな大事なことに今まで気づかなかったんだろう。侮蔑的なあだ名に嫌悪を感じるまともな神経の持ち主なのか。しかし平良と呼ばれたこともないので、単に自分の存在を口にするのが嫌なのかもしれない。それか単になにも考えていないか。どれだろう。

必死で考える平良の前で、清居の顔がますます不機嫌になっていく。

「おまえ、話、聞いてんの？」

「き、聞いてる。ごめん」

美しく酷薄そうな唇が、『ヒイくん』ではなく、『おまえ』と平良を呼ぶ。歓びに胸が打ち震える。もしかして、自分は泣きそうな顔をしているのかもしれない。清居が自分を気味悪そうに見ている。そのとき、後ろから声をかけられた。

「清居」

振り向くと、城田を筆頭にいつものグループと浴衣姿の女の子たちがいた。

「すげえ、ここベスポジじゃん。ヒイくん、ありがとねー」

あたりを見回して三木が言い、浴衣の女子が「立ちっぱしんどいもんね」とはしゃいでシートに腰を下ろす。紫の薔薇《ばら》模様が激しすぎて風情もなにもない浴衣だ。

「清居くん、こないだ海の帰り、結局どうしたの」

紫の薔薇に話しかけられ、「朝までカラオケ」と清居が答える。それだけで女の子たちが笑い転げる。平良にはわからない話だ。みんなで海へ行ったんだろう。

「夕方なのに暑いね。かき氷食べたーい」

女の子が言いだし、城田たちが「屋台行くべ」と立ち上がった。女の子たちに囲まれて清居も行ってしまい、夢のようなツーショットタイムはあっけなく終わってしまった。

いつもならパシリに使われるところだが、屋台はひやかして回るのも楽しいので平良は留守番だ。家族連れやカップルが目の前を通りすぎていく。そんな中にひとりでいると、うっすらさびしいという感覚に囚われる。だから平良は休日のイベントなど普段はこない。でも今日は違う。立てた膝に顔を伏せて、ニヤニヤとさっきの清居を思い出した。

――おまえ、俺のことよく見てるだろ。

――おまえ、きもすぎんだけど。

　自分が清居を見ていたことを、清居は気づいていた。気持ち悪がられたのは痛いが、自分の気配に気づいていてくれたことが嬉しかった。いつだってそこにいないように扱われてきた自分は、それだけで輝くものをもらったように感じてしまう。

　そんな風に思うのはみじめだろうか。気持ち悪いだろうか。でも誰に理解してもらえなくてもいい。この歓びは自分だけの歓びだ。一寸の虫にも五分の魂があるように。

　――俺だって、少しはいい気分になる権利があるはずだ。

　ひゅるるるという細い音がした。顔を上げると、ドーンと内臓に響く音がして、暗い空に巨大な光の花が咲いた。うわあっと歓声が上がる。

「ちょっと、そこ詰めてくれる」

　振り向くと、みんなが戻ってきていた。それぞれかき氷や焼きそばやフランクフルトを持っていて、思わずぐうっと腹が鳴った。昼にコンビニおにぎりを食べただけで、なにか買いにいこうかなと考えていると、左右からかき氷とお好み焼きが同時に差し出された。

「食べる?」

「食う?」

　右の真っ赤なかき氷は知らない女子からで、左のお好み焼きは清居だった。もちろん平良の目は左に固定された。もしや自分のために買ってきてくれたのだろうか。ああ、やばい。心臓が爆発する。あ、あ、ありがとうと盛大に詰まりながら手を出したのだが、

「やっぱいいわ。女子のもらっとけよ」

あっさり引っ込められてしまった。

「え、あ、でも——」

「オマケでもらったけど、やっぱ食えない。誰かいる？」

清居がお好み焼きを持ち上げ、城田たちが「食う食う」と瞬時に強奪していった。

オマケだったのか——がっかりしたが、まあそうだよなと納得した。でもせっかくだったのになあと落ち込んでいると、右側から再び、おずおずという感じでかき氷が出てきた。

「あの、食べる？」

「あ、うん、ありがとう」

すっかり存在を忘れていた。財布を出そうとすると、いいよと言われた。

「ひとりで場所取りしてくれてたんだよね」

「うん」

「暑かったね。お疲れさま」

感じのいい笑顔だった。長い重たげな黒髪のボブヘアで眼鏡《めがね》をかけている。城田たちと仲のいい派手な女子たちとは違う。こんな地味な子が、どうしてここにいるんだろう。

「ヒイくん、木ノ下《きのした》町の交差点とこにあるファミレス知ってる？」

ふいに城田が振り返り、平良はうなずいた。

「席、取っといて。十二人分」

まじですか。心の中でツッコんだ。朝から場所取りをして、この上さらにファミレスの席取りをしろだと。しかも清居の右隣という素敵ポジションなのに。

「ごめんねー、倉田《くらた》も一緒につけるから」

紫の薔薇女が振り向いて平良を拝んだ。倉田？　誰？　と思っていると、右隣のかき氷女子がこちらを見た。ああ……、この子は自分と同じピラミッドの下なんだ。

「おまえの分、あったじゃん」

清居がつぶやき、平良は隣を見た。平良が見ているのを知ってるのに、清居は無視して打ちあがる花火を見上げている。なんて冷酷な言葉。それ以上に美しい横顔。

「……うん。じゃあ、行ってくる」

平良は清居にだけ聞こえる音量でつぶやいた。

他の誰でもない、清居のためにだけ自分は行く。

たかが花火の場所取りのために干からびて死にかけても、空腹で腹が鳴っても、夜空に美しく咲く花火に背を向けても、清居のためだけに、自分はファミレスの席を取りに行く。

清居はやっぱり聞こえない振りをしている。美しい横顔をもっと見ていたい気持ちを抑え込む。立ち上がると、倉田も腰を上げた。ふたりで花火に背を向けて歩き出す。もらったかき氷を食べていると、倉田がぽつんと言った。

「もう少し見たかったね」

残念そうな声音。そうだねと合わせてあげればよかった。でも。

「俺はいいよ」

そう答えると、倉田は首をかしげた。

「花火、嫌いなの？」

「そうじゃないけど、花火より好きなものがあるから」

倉田は、ふうん、とよくわからなそうな顔をしている。背後では、内臓を痛めつけるような花火の音が響いていた。


九月一日、新学期の教室ではちょっとした騒ぎが起きていた。

ファッション雑誌が主催するボーイズコンテストに、清居がエントリーされているという情報で女子が大騒ぎをしている。おしゃれにうとい平良には縁のない雑誌だが、毎年、受賞者発表がテレビでもニュースになるくらい有名なコンテストなので名前は知っている。歴代のグランプリ受賞者は、雑誌の専属モデルを経て俳優などに転身している。

清居はいとこが勝手に応募したらしく、一次と二次はすでに通っている。次の三次審査は読者からの人気投票で、それで最終に進めるかどうか決まるという。

「すげえ、清居、もう芸能人じゃん」

「三次審査って雑誌に顔写真載るんだよな？」

外野の城田たちのほうがはしゃいでいて、清居本人は携帯をいじりながら涼しい顔をしている。やっぱり清居はすごいと平良は改めて感動し、自分の審美眼にこっそり鼻を高くした。

清居の騒ぎは、日を追うごとに大きくなっていった。元々モテていたが、他校の女子たちまでが放課後に清居を見学にくる。ピラミッド上位の女の子たちになると、あらゆるツテを辿《たど》って清居とコンタクトを取ろうとする。

放課後、山のように押し寄せる遊びのお誘いメールを、城田たちはトランプのカードを切るように「いる」「いらない」とわけていく。

「清居、なんか希望ある？」

「別に。おまえら好きに決めれば」

「んじゃどうしよっかな。今日はミーコたちにするか」

「えー、あいつらかわいいけど頭悪すぎて会話続かねえしな」

キングの許しを得て、城田たちは大奥の殿さま気分を満喫している。

厳選された各校の女子たちとの放課後の遊びに、平良はパシリ要員として同席させられたり、邪魔だから帰されたりとまちまちだった。

結局、その日は花火大会のメンバーと遊ぶことになった。待ち合わせのファミレスには倉田もいて、ぺこりと頭を下げられたので平良も下げ返した。

それを見ていた城田たちに「あれ？　もしかして君たちいい雰囲気なの？」「くっついちゃうの？」とからかわれ、無理やり倉田と隣同士に座らされた。ごめんねと小声で謝ると、倉田は赤い顔でうつむいて首を横に振った。

そのとき、ふと気配を感じた。顔を上げると清居と目が合った。頬杖でじっとこちらを見ている。なんだろうとどきどきして視線を揺らし、空のグラスに気づいた。

「ドリンク、なにがいい？」

「ジンジャーエール」

わかったと立ち上がると、女の子のひとりが吹き出した。

「平良くーん、倉田のドリンクも空だよ」

「あ、あたしはいいよ。自分で行くから」

倉田が胸の前で手を振る。

「あーあ、ヒイくん、そこはさすがに俺らより女の子のドリンクに先に気づくべきでしょ。そんなんだと倉田ちゃんにふられちゃうよ？」

「しかたねえよ。ヒイくんは生まれながらのドスレイブなんだから」

「ドスレイブって。つかヒイくん、倉田ちゃんに謝れよ」

「あの、あたし、本当にいいから……」

倉田はもう耳まで真っ赤になっていて、もしかして泣くんじゃないかと心配になった。自分は男だから構わないけど、女の子がこういうからかいをされるのはきついだろう。おまえら、いいかげんにしろよと頭の中で言うだけの自分も情けないけれど——。

「つーか、激しくどうでもいいんだけど」

清居がぽつりと言い、みんながそちらを見た。

「そういうの、おもしろい？」

清居はだるそうな頬杖で問う。一瞬、場がしんとなった。みんなバツが悪そうに視線をかわし合い、「そういえば、こないださあ」とごまかすようにひとつ前の会話に戻っていく。倉田だけがぼうっと清居を見ていた。

「早く行けよ」

くいと顎で命令され、平良は慌ててテーブルを離れた。

ドリンクコーナーでジンジャーエールをグラスに注ぎながら、はじける金色の炭酸に倉田の目を思い出していた。あれは完璧に恋に落ちた目だった。うん、わかるよ、清居は恰好いいよなと共感する気持ちと、でも清居は俺たちを助けたわけじゃないよ、そこをわかっていないとつらいよと忠告したい気持ち半々だった。

清居は気分によってイエスと言ったりノーと言ったりする。気まぐれで、勝手で、こんなことを言って嫌われたらどうしようという物思いとは無縁のところで生きている。自分たちみたいな存在は、清居を激しく嫌うか、強烈に憧れるかどちらかだ。

どれだけ憧れても、自分たちの手が清居に届くわけはないのだけれど――。


ファミレスのあと清居はあっさり帰り、じゃああたしらも帰ると女子が言いだし、もっと遊びたそうだった城田たちは残念そうだった。ざまあみろだ。

平良は本屋に寄って予約していた雑誌を引き取った。清居が出るコンテストを主催してる雑誌だ。ファッション雑誌なんか買ったのは生まれて初めてで、レジの店員から『ジャンル違わない？』という目で見られ、『ですよね、すいません』と心の中で謝った。

雑誌コーナーの前で他校の制服を着た女子たちが「売り切れてるよ」「さいてー」と騒いでいた。この町で、この雑誌の売り上げはすごいことになっているんだろう。

「おかえり、遅かったのね」

帰宅すると母親が台所から顔を出した。家中にカレーの香りが立ち込めている。すぐあっためるわねと台所に戻った母親に、食べてきたからいいと声を張った。

「また？　最近多いわね」

母親が再び顔を出した。叱《しか》られるかなと思ったが、母親は嬉しそうだった。

「もしかして彼女ができたとか」

「は？」

ナチュラルに首をかしげてしまった。

「じゃあ、お友達ね」

一瞬詰まったけれど——。

「そんな感じ」

その返事に、母親はもっと嬉しそうな顔をし、遅くなるときは連絡だけ入れなさいと上機嫌で台所に戻っていった。連絡もせずに遅くなり、夕飯をいらないと言う息子。普通なら小言を言う場面だろうに、学校で浮いていそうな息子に、一緒に放課後をすごして夕飯まで食べる友達ができたということで喜んでいる。

ひどく申し訳ない気分になった。実はパシリに使われているだけだと知ったら母親は悲しむだろう。そのグループのひとりに恋をしているんだと知ったら、親として絶望するだろう。でも俺は幸せなんだと言ったら、頭がおかしくなったと思われるだろう。

——一生、秘密にしておこう。

自室に戻り、着替えも後回しでベッドに腰かけて雑誌をめくった。コンテストのページはすぐに見つかった。決勝に進むための最後の予選で、五十人の顔写真と全体写真が載っている。一ページ目には載っていない。みんなさすがのイケメン揃いで、こいつら人生楽しいんだろうなあと思いながら次のページをめくり、手が止まった。

清居が笑っていた。学校では見たことがないような爽《さわ》やかで晴れやかな、いわゆるアイドルスマイル。これは本当に清居かと、平良はまじまじと写真に見入った。

気まぐれで、傲慢《ごうまん》で、誰にも媚《こび》を売らない強いキング。アイドルスマイルなんて絶対に似合わないと思っていた。なのに、写真の清居に平良の心臓はおかしな動きをしはじめた。キングの清居は神聖すぎて近づけない。けれど万人受けする笑顔を浮かべる清居は、このページごと破り取って、くしゃくしゃに丸められるくらい気安い存在に見えた。この清居にならふれられそうな、ふれてもいいような、おかしな錯覚が芽生える。

ドクンと足の間がうずいて、視線を下げると不自然にふくらんだ股間《こかん》が目に入った。勘弁してくれよと心の中でつぶやいた。なのに手が勝手に制服のファスナーを下ろす。雑誌を見ながら、取り出した性器をゆっくりと上下にこすり上げた。

「……っ、ふ」

噛《か》みしめた唇の隙間から息がもれる。いけないことをしている。これは清居じゃない。少なくとも、平良の知っている清居ではない。なのに頭の中は気安い笑みを浮かべる清居に占領されてしまった。清居の手を取り、抱きしめて、細くて長い首筋にくちづける。

不埒《ふらち》な妄想に、あっけないほど早く限界がやってきた。

死ぬほど興奮した。今までしたどんな自慰よりも気持ちよかった。頭が痺れるような快感だった。ハアハアと息が上がったまま、けれど一度出してしまえば頭は冷めていく。

雑誌の端に、精液が飛び散っていた。その向こうには勉強机があって、清居からもらった硬貨が入ったガラスのフラスコが飾ってある。

欲望と憧憬《どうけい》。ふたつがいっぺんに視界に飛び込んできて、すごい自己嫌悪に襲われた。手の甲で雑誌に飛んだ精液をぬぐったが、濡れた部分は無様によれた。一番大事なものを、自分の手で汚してしまった。最悪だ。死にたくなった。

こんなことは、二度としてはいけないと自分を戒めた。

二ヶ月の投票期間を経て、清居はエントリーされた五十名のうち、読者投票で上位十名中の八番目に残り、本選に進んだことが雑誌で発表された。

「え、清居、今日だめなの？」

土曜日の放課後、清居は城田たちからの誘いを断った。

「ちょっとちょっと待って。今日は俺の彼女の友達からの誘いなんだって」

「急に言うなよ。今日は用事があるんだ」

「いやいや、頼む。ちょっとだけでもいいし。清居に会いたがってんの彼女の先輩でさ、当日ドタキャンなんてあいつも立場まずくなるじゃん。俺もメンツ立たないし」

城田に拝まれ、清居は心底だるそうに首をかしげた。

「じゃあ、日い変えろよ。来週とか」

「おっけ、おっけ。聞くからちょっと待ってて」

城田は彼女に電話をかけた。

『ああ、俺。今日のだけど、ごめん、だめだわ』

近くにいたので、『えーっ、なんで』という女の子の声が平良にまで聞こえてきた。城田はごめんごめんと謝り、来週に変更という旨を伝え、彼女側の予定を聞いている。近くに彼女の先輩たちがいて電話を代わったのか、途中から城田は敬語になった。

『いや、まじすんません。清居？　ああ、いますよ。ちょっと待ってくださいね』

そう言うと、城田は清居に携帯を差し出した。

「清居、出て」

「なんで？」

「今日の約束だめんなったこと、ちょっと謝って」

清居の目からすうっと温度が失われ、あ、やばいぞ、と思ったらその通りになった。

「なんで俺が知らない女に謝んないといけないの」

不機嫌をあらわにする清居に、城田が慌てて低姿勢に出る。

「いやいや、形だけだし」

「やだよ。俺に会いたいのはそっちだろう。俺は別に会わなくたっていいんだから、それでメンツがどうとかごねる女なら勝手に怒らせとけよ」

すっぱり言い切ると、清居はじゃあなと駅の改札を抜けていった。

無慈悲な後ろ姿を見送っていると、背後で溜息が聞こえた。振り向くと、当然のように気まずい空気が満ちていた。城田は携帯を手に顔をしかめ、「切られたし」とつぶやいた。こちらのやり取りが聞こえていたんだろう。ざまあ再びである。

「やっべえわ。俺、かなり恰好悪くない？」

「桃《もも》ちゃんプライド高いしなあ。おまえ、ふられるかもな」

かもではなく、ふられてしまえばいいのだ。一度会ったことがあるが、桃ちゃんはナチュラル系のかわいい子で、並ぶとヤンキー風の城田のほうが格下に見える。

「つーかさあ、清居もあれはないよなあ」

城田がうつむきがちに首をがりがりとかく。全身から不満のオーラが出ている。

「最近、つきあい悪いしさあ。やっぱアレかな」

三木が城田の反応を窺《うかが》うように笑う。

「アレ？」

「プレ芸能人ですから、俺らとは違いますみたいな」

三木が卑しい表情を浮かべる。そんなことないだろと否定されたらすぐ冗談だと流せる笑い方。カメレオンみたいなやつだなと不快に思っていると、城田がまんまと乗った。

「ちょっとあるかもな。つきあい悪いのもそうだし、用事って言うけど、なんの用事か言わないし、そういうのって気い悪い。なんか調子んのってるっていうか」

「八番目なのにな」

三木が言い、城田とほかのふたりも嫌な感じに目配せしあった。

「だよなあ。決勝って十位までが進めるけど、八位通過じゃグランプリ圏外っしょ」

「まあ恰好いいのは認めるけど、全国区で通用するかって言ったらきついよ」

ほかのふたりもそんなことを言いだし、平良はあきれるのを通りこして笑えてきた。自分たちがどれほど恥ずかしいことを言っているのか、気づいていないところが滑稽《こっけい》すぎる。コンテストの応募総数は一万四千人。その中の八番だぞ。書類審査で落とされるだろう城田たちが、どうして上から目線で清居を論じられるんだ。客観視ができないやつは恥ずかしい。

あきれながら、不思議な感じもあった。

出すぎた杭《くい》は打たれるし、注目が大きいほど反発も生まれる。そういうものだとわかっているけれど、平良にとって、清居はそういう低レベルな争いから隔絶された、特別な存在のように感じていた。そうして自分も恥ずかしいやつのひとりだと気づく。自分自身はともかく、清居のことになると自分も馬鹿になる。恋は盲目という意味がやっとわかった。

城田たちと別れ、平良は久しぶりにカメラ片手に街を歩いた。

人間のために整備された場所から、人間を消してできあがる風景が平良は好きだ。ベビーカーを押すお母さん。スーツを着たサラリーマン。大学生のカップル。品のいい老夫婦。それらすべて、あとで消すためにレンズに収められる。我ながら趣味が悪いと思いながらシャッターを切っていると、ふとファインダーの隅に引っかかるものがあった。

——清居？

少し先の雑居ビルに清居が入っていくのが見え、思わず追いかけた。ビルの一階から三階はカラオケボックスになっている。用事ってカラオケだったのか。別にかくさなくていいのにと思いながら、なにげなく見た入口のエレベーターは五階で止まっていた。清居が入ったばかりなので、使ったのは清居だろう。五階には『ＡＲ』と書いてある。

——なんの店だろう。カフェとか？

首をかしげ、ふと、デートかもと思いついた。なんの用事かを言わないのも、彼女と会うためだったらうなずける。今の状況で清居に彼女がいるなんて知れたら騒ぎになる。

胸がざわついた。もしそうだとしたら、どんな子だろう。すごくかわいいか、綺麗か、どちらかだ。そして、どちらでも自分は悲しくなる。そう思うくせに、どうしても相手の子を見たくてたまらなくなった。

なにかに操られるように、エレベーターのボタンを押した。するすると降りてきた小さな箱に乗り込んで五階を目指す。そしておそるおそる踏み出したフロアは明るく、アップテンポの音楽が鳴っていた。カフェ……ではないようだ。

「こんにちは」

平良はびくりとあとずさった。エレベーターのすぐ横が受付カウンターになっていて、ポロシャツ姿のお姉さんが笑顔を浮かべている。

「あ、あの、俺……」

「見学ですか？」

挙動不審な平良に、お姉さんがカウンターからパンフレットを取り出す。

「うちのダンススタジオは、どなたかのご紹介ですか？」

――ダンススタジオ？

首を横に振ると、お姉さんは説明をはじめた。レッスン内容や料金、体験レッスンもあるので受けていくかと問われ、さっきよりも大きく首を横に振った。

「では、見学のご案内をさせていただきますね」

「あ、い、いえ、その、ひとりでゆっくり見てもいいですか」

あきらかに気後れしている平良の様子を察して、お姉さんはいいですよと笑顔でうなずいてくれた。小さく頭を下げ、平良はおずおずと廊下を進んでいった。

廊下の片側がレッスン室になっていて、大きな窓が廊下側についている。ここに清居がいるんだろうか。万が一にも見つからないように、そうっと一番手前のレッスン室をのぞくと、小学生くらいの子供たちが踊っているのが見えた。跳ねるような動きがポップコーンを連想させる。小さいのにみんな上手い。しかし清居はいない。

次のレッスン室をのぞくと、はじまったばかりのようだった。こちらは高校生か大学生くらいだろうか。鏡張りになっている壁の前にインストラクターが立ち、ずらりと並ぶ生徒に動きを説明している。清居はすぐに見つかった。奥のほうに立っている。

何度か動きの確認を繰り返したあと、いきなりレッスンがはじまり、うわっと平良は目を見開いた。ちびっ子たちもすごいと思ったけれど、こっちはレベルが違う。みんな、どうなっているのかよくわからない動きをしている。関節が外れているように見えて少し怖い。

清居も見事に踊っている。自然と目がいってしまうのは自分が清居を好きだからか、それとも清居に華があるからか。平良は食い入るようにガラスに貼りついた。体育の授業中、やる気なさそうにだらだらしている清居とは全然違う。顔中を汗で光らせている。

夢中で見つめすぎて、かくれることも忘れていた。ガラス越し、清居が目の前に立ち、あちら側からコンとガラスを叩かれてようやく我に返った。

「……あ」

心臓が凍りついた。見つかった。固まっている平良に、ガラス越し、清居がなにかを言う。わからない。青ざめる平良に、清居はゆっくりと大きく口を動かした。

——そこで待ってろ。

ガラス越し、清居は廊下にあるベンチを指さした。

一時間半ほどでレッスンは終わり、シャワーを使ってさっぱりした清居に誘われて近くのファミレスに入った。花火大会以来のツーショットに頭を沸騰させる平良とは違い、席に着くなり清居は腹減ったとセットメニューを頼んだ。おまえはと問われ、緊張で頭がパンパンなままパスタを頼んだ。

「アクエリアス」

清居が短くつぶやき、はい、と平良はドリンクバーに走った。頼まれたアクエリアスの他にジンジャーエールも持って戻ると、清居が怪訝な顔をした。

「運動のあとだし、喉が渇いてると思って」

そして清居は普段ジンジャーエール一択である。

「勝手にごめん。いらなかったら俺が飲むから」

「いい、サンキュ」

清居はそっけなく答え、勢いよくアクエリアスを飲み干し、続けてジンジャーエールも半分ほど飲んだ。やっぱり喉が渇いていたのだと胸をなでおろした。しかも「サンキュ」と言われた。お礼を言われたのは初めてで、嬉しすぎてじわじわ体温が上がっていく。

清居は頬杖で窓の外を見ている。なにか話したほうがいいのだろうか。しかし底辺ぼっちの自分にどんなおもしろトークができるというのか。スべりまくった挙句、うざがられて終了するのが目に見えるので、平良はおとなしくオレンジジュースを飲んだ。

「おまえ、なんであそこにいたの？」

いきなり本題に入られ、平良の心臓は縮み上がった。ああ、やっぱりその尋問をするために誘ったのか。そりゃそうだろう。ダンスなんて縁のない平良がいきなりガラス窓にへばりついて自分を凝視していたんだから不審すぎる。というかきもい。

「た、た、た、たた、たま、たま」

言い訳をしたいのに、こんなときに限って吃音が顔を出す。

——たまたま見かけたんだ。

そんな簡単な言葉に引っかかるダメでクソな自分。清居が見ている。恥ずかしい。顔が燃えるように熱い。引っ込め、引っ込んでくれ。お願いだから。今だけでいいから。

「めんどくせえな。いいよ、ゆっくり話せよ。適当に待ってるし」

清居は舌打ちし、椅子にもたれて携帯をいじりだした。

平良はぽかんとした。

なんだろう。清居の安定の傍若無人《ぼうじゃくぶじん》さに、なぜか救われた気がした。

いいんだよ、ゆっくり話しなさいという妙に慈悲深い対応は、表裏一体の差別意識をもって平良をみじめにさせてきた。かといってあからさまに、ああ、もういいよと手を振って犬を追い払うような対応にも傷つけられる。

じゃあ、おまえは一体どうしてほしいんだと自問自答してもわからなくて、そのたび、自分は単にわがままなだけなんじゃないかと思って悲しくなった。最後は、どうして自分は普通になれないんだろうと、考えてもしかたのないスタートラインに戻って疲れ果てている。

清居はどちらでもない。ただ『めんどくさい』という自己中心的な理由で弱者である平良に舌打ちをし、その上で待つと言った。慈悲の笑みもなにもない、偉そうに足を組んで椅子にもたれてスマートフォンをいじっている。清居はどこまでも清居で、平良以外にもこうだろうと思うと、なんだか笑いたくなった。偉大なる普通だ。

「たまたま清居くんを見かけて、追いかけた」

あんなに詰まっていた言葉がするりと出た。

「尾《つ》けたってことか」

にらまれて、あ、と身が縮んだ。吃音が引っ込んでくれたはいいが、残ったのは自分の気持ち悪い行為だけという窮地に立たされた。今すぐ爆発して消えてしまいたい。

「おまえさ」

じろりとにらまれ、思わず上体を引いてしまった。

「おまえ、俺をどうしたいわけ？」

「ど、どうって？」

「花火大会のときも、きもいこと言ってただろ。綺麗とかなんとか」

「きもくないよ、清居くんは綺麗だ」

そこだけは力強く言い切った。

「俺じゃねえよ。おまえがきもいって言ってんだよ」

「あ、そっち」

ようやく理解した。それはそうだ。清居は誰が見ても美しいのだから。

「ごめん。うん、俺はきもいよ。清居くんは綺麗だ」

「だから、そういう話じゃなくて……いや、もう、いい」

途中で清居があきらめたように椅子にもたれた。

「おまえと話してるといらいらする」

「俺もそう思うよ」

素直にうなずくと、清居はますます嫌そうに平良を見た。もういいということは、清居を尾けたことが確定したということだ。自分はストーカー認定されてしまった。実際やっていることを考えたら言い訳できない。

捨てられた犬の気分で向かい合っていると、料理が運ばれてきた。清居はチーズインハンバーグ。平良はクリームパスタ。清居はいただきますも言わずナイフとフォークを取った。綺麗な顔に似合わず食べっぷりは高校男子で、肉もご飯もごそっと持ち上げて口に入れる。

すごい勢いで料理が減っていき、平良は焦った。自分への尋問もすみ、食べ終わったら清居は帰ってしまうだろう。でもこの奇跡のような時間を少しでも長引かせたかった。

「あの、ダンス、すごく上手でびっくりしたよ。足にバネがついてるみたいだった。清居くんがダンス好きなんて知らなかった。体育はいつもだるそうだし」

「別に好きじゃない」

清居は顔を上げずに答えた。

「あ、じゃあ、コンテストのため?」

決勝審査の中にはそれぞれが得意なことを披露するフリーパフォーマンスという項目があった。清居が皿から顔を上げ、平良をにらみつけた。

「他のやつに言うなよな」

えっと問い返した。

「ダンス通ってること」

「………あ」

唐突に気づいたことがあり、平良はこくこくとうなずいた。清居はこれを言いたくて自分を誘ったのだ。コンテストには興味がなさそうにふるまっていたけれど、清居はちゃんと努力していて、それを知られるのを嫌がっている。

「言わないよ」

平良はうなずいた。

「口が裂けても言わない」

清居がこちらを見た。

「言わないと殺すって言われたら?」

「殺されるよ」

一秒たりとも迷わずに答えた。言葉は詰まらず、震えもしなかった。

誰かをこんなにまっすぐ見つめたのは初めてだった。心臓が激しく高鳴って、こめかみのあたりの血管がどくどくいっている。全身を血がいったりきたりしているのを感じながら清居を見つめる。なんだか細胞レベルで生きている気がする。

清居は気味悪そうな顔をしている。多分、ドン引きされている。それでもいい。不機嫌そうな顔も綺麗だ。うっとり見とれる平良に、清居は簡単に言い放った。

「きも」

——俺のキングは無慈悲で、誰よりも美しい。

十二月の最初の休日、東京《とうきょう》の大きなホールでコンテストの決勝イベントが開催された。会場にはテレビカメラも入っていて、応援にきた平良《ひら》まで緊張した。城田《しろた》たちを筆頭に自分たちの学校だけでなく、他校からもかなりの生徒が観にきていたと思う。

結果からいうと、清居《きよい》は入賞を逃した。グランプリは横浜《よこはま》の大学生で、準グランプリは仙台《せんだい》の中学生と奈良《なら》の高校生だったが、平良の目には当たり前のように清居が一番に映った。フリーパフォーマンスのダンスもすごかった。審査員たちは見る目がない。

イベントが終わったあと、ホールのロビーで城田たちいつものグループと一緒に清居と合流した。女の子もたくさんいて、「残念だったね」とか「でも清居くんが一番カッコよかったよ」と口々に慰めの言葉を口にし、清居はクールに返事をしていた。

打ち上げは地元のファミレスでやることになり、みんなで帰ろうとしたが、清居は挨拶《あいさつ》があるから先に行っててくれと楽屋に戻っていく。城田たちがホールを出ていく中、トイレに行きたくなって平良はみんなとばらけた。

ホールのトイレは混んでいて、他にないかなとうろうろするうちにスタッフオンリーと書かれたフロアにきてしまった。引き返そうとしたが、すぐそこにトイレが見えている。行き交う関係者っぽい人たちは忙しそうで、平良はまあいいかと進んでいった。

用を足して廊下に出ると、奥のほうでスタッフに挨拶をしている清居がいて、慌ててトイレに引っ込んだ。トイレにきただけなのだが、またストーカーかと思われたら困る。

しばらくかくれてから、こそっと顔を出すと、挨拶は終わったのか、ひとりで廊下にもたれている清居がいた。かくれようとしたが、妙に頼りなさそうな雰囲気に目を吸い寄せられた。

わずかに唇を尖らせ、ふくれっつらの子供みたいに自分の足元を見つめている。そして、はあっと大きな溜息《ためいき》をついて控え室らしき部屋に入っていった。

落ち込んでいる清居を見たのは初めてだった。

あれは見てはいけなかった。

清居は見られたくなかったはずだ。

だから知らない振りをするのがいい。

わかっているのに、胸の中に生まれたやわやわとした気持ちを持て余してしまう。

ホールの外で寒さに首をすくめて待っていると、清居が出てきた。コートのポケットに手を突っ込んで、ざかざかと大股《おおまた》で駅への道を歩いていく。

声をかけず、距離を空け、平良は清居の後ろを主人を守る犬のように歩いた。


ファミレスでの打ち上げは、ひどく感じが悪かった。

「清居はよくやったよ。入賞は逃がしたけど」

「しょうがねえって。全国からイケメンが集まるんだから」

「さすがの清居も全国デビューは難しかったか。グランプリ獲った横浜の大学生とかすごかったよな。ありゃレベルが違うわ。いや、清居もがんばったんだけどね」

城田たちの言葉には、そこかしこに悪意がにじんでいる。清居は気づいているだろうが、特に不快を表すことなく適当にあいづちを打っている。花火大会のときに一緒だった女の子たちもきていて、こちらは微妙な棘《とげ》に気づいているのかいないのか、まあねえと曖昧《あいまい》にうなずいている。端で倉田《くらた》だけが無表情にドリンクを飲んでいた。

「ヒイくん、ドリンク頼む。コーラとカルピスのミックス」

「俺、メロンソーダ」

「あ、あたしもお願い。オレンジと紅茶でオレンジアイスティーにして」

次々とドリンクを頼まれ、平良は黙って席を立った。

ドリンクコーナーでジュースを作りながら、マシンガンがほしいと思った。倉田以外の全員をハチの巣にしてやりたい。殺意なんて簡単に生まれるのだ。

想像で城田たちをぶち殺していると、清居がやってきた。トイレかと思ったが、そのまま店を出て行ってしまう。平良はドリンクを手にテーブルに戻った。

「清居くん、帰ったの？」

「ああ？　トイレだろ。つかヒイくん、これ違う。コーラカルピスだって」

そうだっけといい加減な返事をし、平良は自分の鞄《かばん》を手に出口へ向かった。ドリンクの交換に行くと思ったのだろう、「今度は間違えんなよ」と背中で馬鹿の声がした。

店を出て、あたりを見回したけれど清居の姿はなく、とりあえず駅へ向かった。見落とさないよう、あちこちよそ見しながら走ったのでひどく息が切れる。駅に着くと、色んな路線が混じるバスターミナルのベンチのひとつに清居を見つけた。

夜の中、やたら白々した蛍光灯の光の下で、清居は青色の古いベンチに座って、コートのポケットに手を突っ込んで行き交う人たちを眺めている。

少し離れた場所から、その姿を見つめた。

声はかけない。かけられない。

自分みたいなやつが話しかけてもなにもできない。

人と接するのは苦しいことでしかないし、うかつに人と目が合ってしまわないよう、ずっと前髪を伸ばしていた。世界一薄っぺらく頼りない前髪の盾。そんなものにすら守られていたいほど世界が怖かった。アヒル隊長を心の友にして、怖くないよという顔をして、下流へ下流へと流れて、でもたまに川の行きつく先を想像すると怖くなった。

今は少し変わった。清居と出会ってから床屋に行く回数が増えた。美容院なんて恐ろしい場所には一生行けないけれど、前髪は普通の長さになった。少しでも多く、長く、あらゆる清居を目に映したい。いけないことだとわかっているのに、こんな風に盗み見てしまう。

——きも。

それでも好きだ。

——うざ。

それでも死ぬほど好きだ。

やってきたバスが、清居の姿をかくした。再びバスが動き出すと、もうベンチに清居の姿はなかった。乗ってしまったのかと名残惜しい気持ちでバスを見送っていると、

「おい」

ふいに声をかけられた。いつの間にか清居がすぐそこに立っていた。

「あ、あれ、なんでここに」

動揺しまくる平良を、清居は怒りのこもった目で見ている。

「こっちが聞きてえよ。おまえ、ホールでも後ろからついてきてただろ」

びくりと身をすくませた。

「俺がかわいそうにでも見えんの？」

えっと平良は目を見開いた。かわいそう？　それは同情ということだろうか。そんなのはキングに対する最大の侮辱《ぶじょく》だ。ぶるぶると首を横に振るが、清居の目は冷たい。

「……どいつもこいつも」

うんざりしたような溜息をつき、清居は背中を向けた。

その瞬間、身体が勝手に動いて清居のコートの裾《すそ》をつかんでいた。

「待って！」

待ってくれ。待ってくれ。お願いだから待ってほしい。どいつもこいつもなんて、頼むから

やめてくれ。自分を城田たちと一緒にしないでくれ。ストーカーでもいいし、気持ち悪くてもいいから、それだけは勘弁してほしい。

「清居くんは俺にとっての一番だ。誰とも比べられない。特別だ」

声は詰まらなかった。震えもしなかった。これほど明確な意志をもって、なにかを告げたのは初めてだった。清居は目を見開いている。その顔が徐々に怒りに変わっていく。

「……おまえ、まじで頭おかしいんじゃねえの」

そうかもしれない。自分は清居のことになるとおかしくなる。苦しい。なのにそれを手放したいとは思わない。離せよとコートを引っ張られ、でも離さなかった。

「俺は城田たちと一緒じゃない」

清居が眉をひそめる。

「きもい」

「俺は好きだ」

「うざい」

「俺は死ぬほど好きだ」

奇跡だ。ついさっき脳内で繰り広げた会話が現実になっている。口からこぼれる言葉はどれも嘘偽りない本音で、深呼吸などしなくてもずっしりと下腹に沈んで平良の気持ちを安定させる。渾身《こんしん》の思いで見上げる視線を、清居は簡単に跳ね返した。

「俺は嫌いだ」

無慈悲に告げ、清居は平良を突き飛ばした。去っていく冷たい背中。悲しい。でも清居らしい。憧れてやまない後ろ姿を、平良はその場に立ち尽くして見送った。

翌日、教室の空気が微妙におかしかった。

「アレ見た？　清居くんの」

「え、なに？」

隣の席の女子がこそっと友人の耳もとに顔をよせる。耳打ちされた女子は驚いて携帯を取り出し、なにかを見はじめた。あちこちで似たことが繰り広げられている。

「誰が書いたんだろうな。絶対うちのガッコだろ」

「バレたら確実に殺されるな」

後ろでは吉田《よしだ》たちが小声でささやきあっている。なんの話だろう。清居？　殺される？　すごく気になる。振り向くと、吉田たちはびくっと話すのをやめた。

「なんの話？」

一学期のヒイくん事件以来、吉田に話しかけたのは初めてだった。

「別に。なんでもない」

「清居くんのことだろう。殺されるってなに？」

「俺らが書いたんじゃねえよ」

「書いたって、だからなんの話？」

しつこい平良に、吉田が渋々というように口を割った。

「ネットだよ。掲示板にコンテストのことで昨日から変な書き込みがあんの」

「書き込み？」

平良は携帯を出して、教えてもらった検索ワードを打ち込んだ。

「なあ、俺らが書いたんじゃないからな。清居に勘違いさせんなよ」

吉田がなにか言っているが、聞いていなかった。ヒットした掲示板には清居が参加したコンテストについて書き込むスレッドがあり、そこを下にスクロールしていく。

【決勝最下位の清居奏《そう》ってどう思う？】

【最下位ってなに？　グランプリと準グランプリ以外順位わかんないでしょ】

【清居くんかっこいい。予選から応援してたから残念】

【趣味わる。最下位だよ？】

【だからグランプリと準グランプリ以外順位ないって。バカなの？】

【あのレベルで決勝進めたのが奇跡】

——なんだ、これ。

昨日からずっと意味のない、薄っぺらい悪意がむき出しの書き込みが大量に続いている。それらを読む途中、あることに気づいて平良は書き込みを遡《さかのぼ》った。最初に清居に関しての書き込みがあったのは昨日の七時半。自分と清居がファミレスから帰ったころだ。携帯を手にもやもやしていると、清居が教室に入ってきた。教室の空気が微妙に緊迫する。

「清居、おはよー」

教室の後ろに陣取っている城田たちが手を上げる。声がわざとらしいくらい明るく聞こえるのは気のせいか。清居は「おはよ」と軽く挨拶を返して自分の机に向かう。

「清居、昨日なんでなんも言わないで帰っちゃったんだよ」

城田たちが清居の周りに集まる。

「ちょっと用事思い出したんだよ。悪いな、今度なんかつきあうし」

「俺らはいいんだけど、あのあと、ヒイくんも消えちゃったんだよなあ」

清居が教科書を出す手を一瞬止めた。

「ふたりで一緒に帰ったとか？」

「馬鹿、なんで清居がヒイくんなんかとつるむんだよ」

城田のツッコミに意味のない爆笑が起きる中、平良は自分の行動を後悔した。自分と一緒に店を抜けたなんて、不名誉な誤解を清居が受けてしまった。

「まあでも、俺らまじで心配してたんだよ」

城田が声のトーンを落とした。

「昨日、清居すげえへこんでたっぽいし、大丈夫？」

気持ち悪い猫なで声に、清居がゆっくりと城田を見た。

「なにが？」

しらけた問い返しに、城田は「なにがっていうか……」と曖昧に笑う。

「城田、そういうのは思ってても言うなよ」

「そうそう。あんな結果でショックだったに決まってんだろう」

他のふたりが口をはさみ、城田は「あ、そっか」とうなずく。「ごめんな」と城田が勝ち誇ったように清居を見る。他の三人もニヤニヤと顔を見合わせている。

やっぱりマシンガンがほしい。

今この瞬間、城田たちをハチの巣にしてやりたい。

清居がコンテストに入賞しなかったことは、城田たちにはなんの関係もない。なのに清居をおとしめて、自分たちが上がった気になっている。馬鹿すぎて胸が悪くなる。

同じくらい気持ち悪いのは、成り行きをじっと見守っているクラス全体の雰囲気だった。どっちにつくのが安全なのかな、という小鳥みたいにか弱い、架空のさえずりが聞こえる。

あの日感じた気持ち悪さは、日を追うごとにその形をくっきり見せはじめた。クラスの権力者グループがおかしなことになっているのを、クラスメイトは敏感に察知している。清居に騒いでいた女子たちはおとなしくなり、逆に吉田の声は大きくなった。

冬休みを目前に控えた月曜日、城田は朝から機嫌が悪かった。

「あいつ二股かけてたんだよ。ナチュラルぶってるけどただのヤリマンじゃん」

城田は不機嫌全開で机をガンガン蹴っている。察するに、桃《もも》ちゃんにふられたようだ。ざまあみろと内心拍手していたが、昼休みになり、とばっちりは平良に回ってきた。

「なんで玉子だよ。ツナって言っただろ。おまえ脳みそ入ってんの?」

人をパシリに使っておいてすごい言い草だ。むっと黙り込んでいると、換えてこいよと乱暴にサンドイッチを投げられた。平良はサンドイッチを手に立ち尽くした。

「なにしてんだよ。昼休み終わるだろう」

「けど、先週のお金ももらってないし」

うつむきがちに主張した。最近、城田はまた金を払わなくなった。以前は清居に言われて渋々払ったが、今回は清居が言っても「まあまあ」とごまかした。

「今度払うって言ってんじゃん。なんか文句あんのかよ」

顔をよせてすごまれる。それでも動かないでいると、城田の顔にいらだちが広がっていく。

「なに急に反抗的になってんだよ」

足を軽く蹴られた。以前の自分なら完全にビビッていたろうが、今は反発のほうが強い。ぐっと唇をかんで見つめると、「なにその目」とにらまれた。「なあ、なんなの」と何度も足を蹴られる。「ちょ……、やばくない」と女子のささやく声が聞こえた。

「やめろよ、みっともねえな」

清居が言い、城田が平良を蹴るのをやめた。

「なんか言った？」

城田が首をかしげ、斜め後ろに座っている清居を見る。

「ごめん、聞こえなかった。もっかい言って？」

「女にふられたからって八つ当たりすんなよ」

城田が目を吊り上げ、次の瞬間、すごい音が響いた。城田が清居の机を蹴ったのだ。全員が息を呑み、静まり返った教室で城田がつぶやいた。

「いつまでも偉そうにしてんじゃねえっつうの」

清居は動じた様子もなく、けれど不愉快そうに城田を見ていた。

しんとしたままの教室で、また小鳥の声がする。おまえ、どっちにつく？　でも以前と違うのは、ゆらゆら揺れる天秤《てんびん》を、みんなが妙におもしろそうな顔で見ていることだった。

冬休み明け、教室の空気は激変していた。

「清居くんのアレ見た？　ちょっとひどくない？」

「ああ、アレはねえ。やったやつにドン引くわ」

隣の席の女子が話しているのは、休みの間にネットにさらされた清居の小学校時代の文集のことだ。そこには『ぼくは大人になったらアイドルになりたいです』と書かれていた。

「ちょっと意外だったよね。まさかのアイドル志望って」

「うーん、イメージは崩れたかも」

延々と続く噂話に、平良は架空のマシンガンを隣の席に向かってぶっ放した。

みんな中立の立場を取っているが、完全におもしろがっている。スターの転落はある種の快感を誘うのだ。声をひそめながらも、みんな残酷な好奇心をかくさない。

城田たちのやり方は胸クソ悪かった。気に入らないなら離れればいいだけなのに、ことあるごとに粘っこく清居にからむ。女の腐ったみたいなと言ったら女子に失礼なくらいで、それでも態度を崩さない清居に対して、連中はますますエスカレートしていった。

その日の放課後、下校する生徒にまじって平良は階段を下りていた。少し先を清居が歩いている。同じ制服の群れの中で、清居だけは見間違えることがない。ひどく頭が小さく、腰の位置が高い。大勢の中にいても、ぱっと目を引く華がある。

清居の背中を眺めながら階段を下りていると、ふいに視界を上から下に落ちていくものがあった。次の瞬間、清居の頭や肩で真っ赤な液体がはじけた。

——血？

パニックになりかけたが、余波を浴びた女の子の「やだー、なにこれ」「トマト？」という声に胸をなでおろした。頭上から「わるーい」と声が降ってくる。

「ジュースこぼしたー」

城田たちが上の階から謝っている。わざとやったのはあきらかだった。

ジュースのほとんどは清居にかかり、頭からひどいことになっている。赤い雫《しずく》をしたたらせながら、それをぬぐいもせず、清居は上を向いた。平良の位置からは清居の表情は見えない。けれど上にいる城田たちが息を呑んだのがわかった。

清居は階段を下り、昇降口とは逆のほうに歩いていく。騒ぎに立ち止まっていた生徒たちがざわつきながら散らばっていく中、平良は迷うことなく清居を追った。

特別校舎に踏み入ると、放課後の喧騒《けんそう》はすうっと遠のいていった。清居はトイレへ入っていく。蛇口をひねるキュッという音がかすかに聞こえた。水音が続く。

平良はトイレの前の廊下に立っていた。平然としているけれど本当はつらいのかもしれないとか、清居の真意を測ったりするような馬鹿なことはしない。してたまるか。

——……どいつもこいつも。

あのときの、うんざりした溜息を思い出す。違う。自分はけっして城田たちと同じにはならない。空気を読んで右に左に身をかわすクラスメイトのようにもならない。

最後の一兵になってもキングに忠誠を誓う兵士のような心持ちで廊下に立ち、用水路を流れていくアヒル隊長を、今なら汚水に飛び込んで助けることもできると思った。

張りつめた糸のように集中していると、キュッと蛇口をしめる音がして、平良は階段の陰に身をかくした。そばにいる。でもそんなことは言わなくてもいい。足音がする。清居が出てきたのだ。気配が去るのを待っていると、おい、と聞こえた。

——え？

固まっていると、もう一度呼ばれた。

「どうせいるんだろ」

うんざりが透けて見える問い方。呼ばれているのに無視することはできず、そろそろと顔だけを出した。清居は水洗いで濡《ぬ》れたシャツを手に持ち、グレイのセーターを直《じか》に羽織っていた。

平良を見ると、本当に嫌そうに溜息をつく。

「ご、ごめん、すぐ消えるから」

「おい」

急いで去ろうとする背中に、また声がかかった。罵《ののし》られるのだろうか。おそるおそる振り返ると、清居は廊下の向こうへと顎《あご》をしゃくった。そのまま踵《きびす》を返して歩き出す。

ついてこいと言われたようで、平良はおずおずと清居の後ろを歩いた。髪も洗ったのだろう、襟足から滴る透明な雫が長くて細いうなじを伝っている。

清居は空いている音楽室に入っていく。教卓の中に手を入れ、奥のほうを探ったあと、出てきた清居の手には鍵があった。先生か生徒の誰かがかくしたのだろうか。

清居はその鍵を使って準備室へ入った。さみーとつぶやき、エアコンをつける。うおんっと音がして、あたたかい風が吹き出てくる。吹き出し口の真下の椅子《いす》にシャツをひっかけ、清居は自分も干すみたいに机の上に腰かけた。

「あったけー……」

窓から差すオレンジの西日を受けて、目をつぶる清居はひどく綺麗だった。

うっとり見とれていると、唐突に清居が目を開けた。

「黙って見てられると気持ち悪いんだけど」

「え、あ、ああ、えっと……」

なにか話さねば。でも焦ると言葉が詰まる。それ以前に、清居に語りかけられる言葉など自分の中にはない。焦りまくる中、ふと思いついた。

「写真、撮ってもいい?」

「写真?」

「あ、いや、ごめん、なんでもない……です」

ただでさえストーカー扱いされているのに、写真なんて撮らせてもらえるはずがない。

「写メ？」

「ううん、普通のカメラ。でもいい。厚かましくてごめん」

「写メじゃないならいいけど」

平良はぽかんとした。空耳か？　口元を引きつらせながら清居を見た。

「なんだよ、その反応。撮らないなら撮らないでいいし」

「ああ、ううん、撮るよ、あ、違う、撮りたい、撮らせてほしい」

平良はあたふたと鞄からカメラを取り出した。

「すげえ、一眼レフじゃん」

清居が思わずといった風に身を乗り出し、ハッと表情を変えた。

「……まさか盗撮用」

不審な目で見られ、平良はぶるぶると首を横に振った。

「ちゅ、中学校のころ親に一眼レフ買ってもらって、ずっと趣味でやってて」

「金持ちか」

「え？」

「中学生に一眼レフなんて高価なもん普通買わねえだろう」

「そ、それは色々事情があって……」

平良はカメラの準備をしながら、詰まりつつも話し続けた。

「お、俺は昔から吃音《きつおん》があって、友達いなくて、クラスで浮いてることを親はすごく心配して、なにか発散できる趣味があればってカメラを買ってくれたんだ」

カメラをいじっていると、慣れた動作に落ち着くのか比較的スムーズに言葉が出た。

「え？」

「キツオンって？」

「キツオンってなに」

——ああ、知らないのか。

「えっと、言葉がつっかえたりして、うまく話せない病気」

「え、それ、病気なの？」

清居は眉をひそめた。なんだかショックを受けたような顔をしている。

しかたないことだと思う。吃音という単語自体、意外と知られていない。『どもり』と言うほうが伝わりやすいけれど、それだと病気というより、単に緊張して言葉が引っかかったりすることを連想される。もちろんそういう意味もあるので余計ややこしい。

最近では『どもり』という言葉自体が差別語扱いになっていて、小説やテレビでも見かけなくなった。だからといって『吃音』が広まったわけじゃない。言葉を変えていくうちに、病気の存在自体が世の中から締め出されて、患者自身が『吃音とはなにか』という説明をしなくてはいけないという苦しい事態になっている。

「でも、今、普通に喋《しゃべ》れてんじゃん」

「いつも詰まるわけじゃないんだ。いつも詰まってるほうがわかりやすいんだろうけど、吃音は出るときと出ないときがあって、小さいころから医者に通ってだいぶコントロールできるようになったけど完全じゃなくて、……焦るとクラス替え初日みたいになる」

ひ、ひ、ひ、ひ。単音の豆鉄砲を打ちまくるみっともない自分を思い出した。

「……悪い」

清居は目を伏せた。そんな顔はキングには似合わない。

「いいよ。慣れてるから」

「慣れるなよ。そういう卑屈は見てていらいらする」

打って変わって力強い目。ああ、やっぱり清居は清居だ。平良は無意識に目を細めた。

「ありがとう」

自然と言葉がこぼれて、清居はバツが悪そうに顔を背けた。

「礼とか言われることしてないし。つか、その逆だし」

「でも、清居くんは俺を『ヒイくん』って呼ばなかった。それはどうして？」

清居は考えるように首をかしげたが――。

「さあ。単に呼びたくなかったんじゃね」

清居らしい答えに、平良はますます嬉《うれ》しくなった。吃音を知らなくても、病気だと知らなくても、清居は自分を侮蔑《ぶべつ》の名で呼ばなかった。それがなにゆえなのか、きっと清居にもよくわからないんだろう。気まぐれで、自己中心的で、優しくもない。でも清居の中には清居だけのラインがあって、自分はそれに救われた。それがすべてだ。

「俺は、清居くんが好きだ」

そう告げ、平良は手元のカメラに視線を落とした。冬は日暮れが早い。そろそろ暗くなってきたから感度は高め。絞りは小さく、シャッタースピードは速く。人物を撮るなんてめったにない。そもそも人物を撮りたいと思ったのも初めてだ。でも最高の一枚を撮りたい。カメラを構え、清居が驚いた顔をした瞬間、シャッターを切った。

「撮るなら撮るって言えよ」

「ごめん」

謝りながら、また撮った。

「人の話、聞いてんのか」

「ごめん、撮ってるよ」

「なんの報告だよ。撮りながら言っても遅いんだよ」

清居がこちらに向かってむっとする。そんな顔もあまり見たことがなくて、またシャッターを切った。清居は今度はあきれた顔をした。それも撮ると、ぷいと顔を背けた。ああ、そうすると細くて長い首筋が際立つ。クラス替え初日に思わず見とれた顎のラインも撮りたくて、床に膝《ひざ》をついてローアングルでシャッターを切った。

「清居くん、すごく綺麗だ」

シャッターを切りながらつぶやくと、

「エロカメラマンか」

清居がそっぽを向いたまま、ぼそりとつぶやいた。

「最後は脱がされそうでこえーわ」

「そ、そんなことしないよ」

赤い顔でカメラを下ろすと、清居がこちらを見下ろした。

「ばーか、誰が脱ぐか」

初めて見る清居のいたずらっぽい笑顔に呼吸も止まった。

「……あ」

まばたきもできなくて、どんなカメラよりも高性能な網膜にその笑顔を焼きつけた。遠い将来、おじいさんになってよく目が見えなくなってもいつでも再生できるように。

「あんま見んな。きもい」

笑顔はすぐに消え、清居は顔を背けた。

床に膝をついている平良の正面に、ちょうど机に置かれた清居の手がある。なんて長い指だろう。先へ行くほど細くなって、爪の形まで完璧だ。無意識に顔をよせ、指先にくちづけた。

唇にふれる爪の感触に、頭の奥から痺《しび》れるようなうっとりしたものが広がっていく。

「……おまえ、やっぱホモなの？」

ぽつんと降ってきた問いに、ハッと我に返った。

「ご、ごめん……っ」

慌てて飛び退《すさ》った。自分のしたことが信じられない。ごめん、ごめんと繰り返す。

「なあ、答えろよ。ホモなの？」

「わ、わからない」

首を小刻みに振った。その問いは自分でも何度もしたけれど——。

「お、俺は清居くんが好きだ。でも他の男子は別に好きじゃない。女子も好きじゃない。綺麗と思うのは清居くんだけだ。清居くんだけが特別だ」

清居以外には、男にも女にもなにも思わない。みんなただそこにいるだけの存在だ。でも清居は違う。清居は清居で、それだけで自分のあちこちがおかしくなる。嬉しくなったり、死にたくなったり、それをホモと言うならホモかもしれない。ぼそぼそつぶやいていると、

「きも」

一言で切って捨てられた。

「……はは、そうだよね」

平良は苦笑いを浮かべた。恋心全否定。なのに不思議と嫌な気持ちではなかった。平良が病

気もちだと知っても、清居は特に態度を変えない。吃音だろうと、そうでなかろうと、清居にとって自分は単に気持ち悪いやつなのだ。それは妙に嬉しいことだった。

視線を上げると、清居と目が合った。じっとこちらを見ている。なんだろう。あんまり見つめられると落ち着かなくなる。なにかついているのかと顔にふれてみる。まだ見ている。いつもとは逆の状況にじわじわと顔が熱くなる。平良はたまらずうつむいた。

「ごめん、あんま見ないで……」

蚊の鳴くような声で訴えると、ふっと鼻で笑う気配がした。

「俺の気持ちがわかったか」

その言葉に顔を上げた。ああ、そうか、そういうことか。

「ごめん、もう見ないよ」

「別に。見たいなら、勝手に見とけよ」

「いいの？」

「好きにすればいいだろ。でも『清居くん』って呼ぶのはやめろ。女子なら許せるけど、男からくんづけされるのはきもすぎる。普通に清居って呼べ」

「無理だよ」

「だったらもう見るな」

清居は軽く顎を反らした。傲慢《ごうまん》な目つき。でも清居にはよく似合う。冷たくて、気が遠くなりそうなほど綺麗だ。平良は持っていたカメラを構えた。

「……清居」

ファインダー越しに呼びかけた。どうしよう。幸せで息が詰まる。

「呼べたじゃん」

どうでもよさそうに清居が言う。

「清居」

「なに」

「清居」

「なんだよ」

「清居」

「用もないのに呼ぶな」

「すごく綺麗だ」

言葉と一緒にシャッターを切ると、

「きも」

ファインダーの向こうで、西日を受けた清居がかすかに笑った。

音楽室での出来事は、平良の宝物になった。

あれから清居と友人のように話をするようになったかというと、そんなことはまったくなかった。清居との関係は花火大会、コンテストの夜、音楽室と、そのときどきの点がポツポツ残るだけで、それらがつながって線にはならない。いつでも一期一会《いちごいちえ》で、だから余計に貴重なものとして胸に焼きついてしまう。

「今日さみぃー。雪見だいふく食いてー」

「いきなり矛盾させんな、けど俺も食いたい」

昼休み、城田と三木が馬鹿笑いをしている。雪がちらちら降る寒い日だけれど、エアコンのかかった教室は特に寒くない。これはパシリコースだなと思っていると、

「清居、買ってきて」

――え？

思わず振り向いた。

「雪見だいふく、ふたつ頼むわ」

城田たちが机を囲むように近づくが、清居は無視してスマートフォンをいじっている。

「無視すんなよ」

「いいじゃん、ぱっと行って買ってくるくらい」

平良は立ち上がり、城田たちの元へ行った。

「俺が行ってくるよ」

「あ？　ヒイくんには頼んでねえんだけど」

「そうそう、いっつも行ってるんだから、たまには清居に代わってもらえよ。あ、ついでにヒイくんもなにか頼んじゃう？　清居、ヒイくんの分も雪見だいふく三つな」

城田が中指を立て、「それ三じゃねーだろ」と他の連中にツッコみを入れられる。なにがおかしいのか馬鹿笑いをする城田たちを、清居は終始一貫無視している。

「なあ、早く行ってこいって」

城田がいらつきを見せ、慌てて平良は割って入った。

「いいよ、俺が行く。毎日行ってるし慣れてるから」

「引っ込んでろよ。俺は清居に言ってんの。なあ、清居」

城田が清居のブレザーの襟をつかみ上げ、それまで徹底的に無視を貫いていた清居が表情を変えた。無礼な手を弾き飛ばし、じろりと下から城田をにらみつける。

「いいかげんにしろよ、てめえ」

清居が拳を固めて立ち上がったと同時に、平良が城田を殴り飛ばした。机や椅子を巻き込んで城田が倒れ込み、そばにいた女子たちが短く声を上げた。

「な、なにす――」

起き上がろうとする城田に馬乗りになり、上から殴りまくった。人を殴るのは自分の手も痛いなんて言うけど、あんなのは嘘だ。必死すぎて感覚なんて吹き飛んでいる。なにかを考える余裕もない。ただ、こいつを潰《つぶ》すという本能じみたものに支配される。自分の息がうるさい。殴るたび全身に力が入って、獣みたいなうなり声が口からもれる。

「やめろ！」

横合いから三木の蹴りが飛んできて、平良は床に倒れた。見下ろしているのに、三木は怯《おび》えた顔をしていた。城田も鼻血まみれで目に涙をにじませている。

「な、なんなんだよ、おまえ、いきなり、頭おかしいよ……」

城田のつぶやきに怒りがよみがえり、近くにあった椅子の足をつかんだ。ひっと城田が引きつった声を上げ、やめろってと三木が横から抱きついて平良の動きを封じた。

「ちょ、城田くん、血だらけ」

「誰か、先生呼んでこいよ」

「もうこのクラスやだあ……」

クラスの全員が輪になって自分を見ている。その中に清居もいた。目を見開いて茫然《ぼうぜん》としている。

突然キレる危ないやつと思われただろうか。でもストーカー疑惑もあったし、元々気持ち悪いやつ扱いだった。そこにもうひとつマイナスが加わってもたいして変わらない。

手がジンジンする。今ごろになって痛みが伝わってきた。

人を殴った罪悪感はなかった。

城田たちはそれだけのことをした。

どんな理由があろうと暴力はいけない。そんな綺麗ごとはゴミ箱に叩《たた》き込んでしまった。城田は平良の聖域に踏み込んだ。心を殴られることと、身体を殴られることに差なんかない。

床に座り込んだまま、熱を持って疼《うず》く手のひらを見つめた。

清居を助けたとは思っていない。むしろ逆だ。

清居のおかげで、自分は自分を助けられた。子供のころからずっと汚水を流されていくだけだった自分を、やっと救出できた気がしていた。


教室の空気がまた変わった。平良は城田たちからパシリをさせられることはなくなり、クラス中から腫れ物にさわるように扱われた。それはそれで神経がぴりぴりするけれど、それ以前の日々より百倍いい。

城田たちは、清居にもからまなくなった。清居にからんで、また平良がキレるのを恐れているようだ。嚙みつかれないと、相手にも牙《きば》があることがわからない。あいつらは馬鹿だ。

清居は淡々としたものだった。元々大勢ではしゃぐタイプでもなく、だらだらスマートフォンをいじったり漫画を読んでいる姿は以前と変わりがない。胸の内がどうであるのか、平良は余計な憶測はしない。清居は自分なんかに測られる人間じゃない。

あの日の放課後、平良たちは担任に個別に呼び出されて話を聞かれた。先に手を出したのは自分だけれど、先生たちは平良が城田たちにからまれていたことに薄々気づいていて、逆に平良の気持ちを気遣ってくれた。なにかが起きてから、実は気づいていたんだと言われても、なんだかなあと思うだけで特に嬉しくなかったけれど、処分を免れたので助かった。

城田たちは最後までしらばっくれた。自分たちはなにもしていない、いきなり平良が殴りかかってきたと言い張り、結果、特に誰も処分されることなく騒ぎは終わった。

両親には悪いことをしたと思っている。おとなしい平良が暴力をふるったことに、母親はひどくショックを受けた。いじめでもあるのか、それは吃音のせいなのか、もしそうなら転校してもいいと父親は言った。自分は家族の愛情には恵まれている。だから今まで耐えられたんだなと、いまさらわかった。

でも、清居がいるから転校はしない。

登校拒否にもならない。

今日も当たり前のように学校へ行く。

以前のようにいじめで自殺のニュースを見ても、必要以上に心を揺らされない。清居に恋をしてから、平良の中では猛スピードの革命が起きている。愛は地球を救わないけれど、自分ひとりは確実に救ってくれた。電車の中でキスをするバカップルを見ても、救われてるんだなあと思って、以前みたいに爆発しろと思わなくなった。

五時間目の教室移動に遅れそうで廊下を急いでいた。もうほとんど人がいなくて、階段を小走りに下りていくと、前方にとびきりバランスのいい後ろ姿を見つけた。

清居が振り返った。思わず足を止めると、清居も振り返ったまま動かない。しばらく見つめ合ったあと、清居がこちらへ引き返してくる。すれ違いざま、ちらりと視線を投げてくる。それだけで平良も簡単にUターンをした。

ふたりして空っぽの教室に戻ると、五時間目がはじまるチャイムが鳴った。

窓際の机に清居が腰かけ、平良はその前の椅子に座った。

「今日は音楽室じゃないんだね」

この位置だと見上げる恰好になる。

「授業で使ってるし」

「ああ、そうか」

ふたりきりで話すのは音楽室のとき以来だ。二月に入ったばかりで、窓越しに見える真っ青な空は澄んでいる。ひんやりと硬質な空気の中で、窓から差す太陽の光がほのかにあたたかくて、なにも話さなくても満ち足りた気持ちになってしまう。

「今日はカメラないの?」

ふいに問われた。

「あ、家に置いてきた」

なんだという顔をされたので、今朝の自分を罵った。こんなことが待ち受けていると知っていたら絶対持ってきていたのに。明日からは必ず持ち歩こう。

「前に撮ったやつ、どうだった?」

「すごくよかったよ。びっくりした。プロのモデルより綺麗だった」

「プロのモデル撮ったことあんの?」

「ない」

「なんだそりゃ」

「でもわかる。絶対にプロのモデルより綺麗だ」

まぶしげに見上げると、清居は眉をひそめた。

「おかしなことに使うなよ」

「おかしなこと?」

「抜いたり」

意味がわかって頬が熱くなった。以前、たった一度だけ犯した罪をいきなりさらけ出されたように感じた。あれ以来、清居を使って自分を慰めたことはない。

「……おまえ、その様子はやっただろ」

はじかれたように顔を上げた。

「い、一回だけだよ」

「やっぱしたのか！」

きもっと清居は身体ごと引いた。

「ごめん、でも本当に一回だけで、それからしてない」

「信じられるか、そんなこと」

「本当だよ。したあとすごく嫌な気分になって、こんなことに清居くんを——」

「ストップ！」

いきなり手のひらを目の前に突き出され、驚いて口を閉じる。

「くんづけはやめろ。気持ち悪さが倍になる」

そういえばと、前に言われたことを思い出した。

「ほら、続き」

うながされるが、改めてそんな説明をすることが恥ずかしくなった。

「き、清居くん、じゃなくて清居……をそんなことの対象にするのは間違ってる。清居は俺のキングで、俺は最後の一兵になってもキングを守る立場で、だから清居は俺ごときが穢《けが》しちゃいけない存在で、なのにそんなことに使ってすごく罪悪感があって……」

しどろもどろでぶつぶつ言う自分を、清居はなんとも言えない顔で見ている。

「なあ、キングとか最後の一兵ってなに？　ゲームかなんか？　それとも検索してはいけないワードみたいな、精神的にくるやばい系のやつ？」

「そ、そういうんじゃないけど、なんていうか、えっと、いいです、もう」

ああ、気持ち悪い上に痛すぎる。罪の言い訳をするために、つい脳内世界を披露してしまった。なんとか名誉回復したいけれど、回復するほどの名誉が元々ない。

「おまえ、本当に俺が好きだな」

清居がぽつりと言い、平良はぱっと顔を上げた。

「そうなんだよ！　ああ、わかってくれた？　俺は清居が大好きなんだ」

「そうなんだじゃねえよ。嫌みも通じねえのか」

机に置いていたペンケースで頭をはたかれた。

「ご、ごめん」

「まあいいけど」

言いながら、清居がすっと手を出してきた。

「キスしたい？」

平良は限界まで目を見開いた。

「……し、していいのですか？」

思わず敬語になった。顔が熱い。心臓も爆発しそうにうるさい。

「させるか、ばーか」

清居は笑って手を引っ込めた。

「……はは、ですよね」

冗談か。そりゃあそうだよなと肩を落としていると、ほらと手を出された。さっきみたいな差し出す感じではなく、ぶっきらぼうに投げ出す感じだった。

平良はうかがうように清居を見上げた。

清居はあらぬほうを向いている。

またからかわれているのかもしれない。でも、それでもいい。自分には選択権なんてものはない。清居から差し出されたものなら、それが花でも毒でも全身全霊で受け止めるだけだ。

おずおずと美しい手を取った。清居は逃げない。

細くて長い指に吸い寄せられるように、手の甲にくちづけた。弱い電流を流されているみたいに、頭の奥のほうから痺れが広がって指先から蕩《とろ》けていく。

「……清居は、俺が怖くないの？」

くちづけたまま聞いてみた。清居が目だけでなにがと聞いてくる。

「いきなりキレて人を殴ったり、みんな怖がって、前とは違う意味で俺に近寄らなくなった」

どうしてこんなことを聞いているんだろう。後悔していないし、以前よりも百倍いいと思っている。なのにどうして。捨て犬みたいな平良を、清居があきれた顔で見下ろす。

「いまさらだろ。人のこと盗み見て、追いかけ回して、綺麗だ、好きだ、キングだとかわけわかんないこと言って、俺でオナニーまでしたって事実のほうがこえーわ」

瞬時に顔が赤くなった。

「……そっか。はは、そうだね、ありがとう」

「なんでそこで礼になるんだ」

清居が顔をしかめ、平良は泣きそうな顔で笑った。

「やっぱり、俺にとって清居は特別みたいだ」

何度も、何度も思い知らされる。自分が吃音だろうが、それで言葉を詰まらせようが、盗み見ようが、あとをつけ回そうが、キレて人を殴ろうが、自慰をしようが、最初から清居の言い様は一貫している。『きも』『うざ』平良に価値があろうがなかろうが、良くも悪くも清居だけが変わらない。それがどれだけ嬉しいことか、きっと清居にはわからない。

「ありがとう」

もう一度つぶやいて、目を閉じて清居の手にくちづけた。清居はなにも言わなくて、でも平良を拒みもしなかった。

清居とはごくたまに、ふたりきりで会うようになった。

清居の気が向いたとき、清居のほうからそれとなく視線を投げてくる。だからもう一瞬たりとも清居から意識を逸らせない。ささやかなサインを見逃せば、清居はもう平良との時間を作ってくれない気がした。

清居は意外と写真を撮られることが好きで、忍び込んだ音楽室や放課後の誰もいなくなった教室で、カメラを構えながらとりとめのない話をするのが多かった。

その日、清居は珍しく家の話をしてくれた。清居の親は離婚していて、小二まで清居は母親とふたり暮らしだった。母親は忙しく、清居は家でひとりですごすことが多かった。工場勤めだった母親はシフトの都合で月の三分の一は深夜勤務になり、帰りが朝になる。

「小一だぞ。ぶっちゃけひとりで寝るの怖いだろ」

思い出すように清居が顔をしかめ、平良はカメラを構えながら口元だけで笑った。

「だからテレビも電気もつけっぱなしで寝てて、でも一度、夏休みだったかな、夜中に目が覚めたとき、ちょうど深夜テレビでホラー映画やっててチビりそうになった。すぐ布団にもぐって、今度は布団から少しでも出たらオバケにつかまりそうで出られなくなった」

蒸されて死ぬかと思ったという言葉に、布団の中で丸まっている小さな清居を想像して平良は吹き出してしまい、シャッターを切る手がぶれた。

「ひとりだからテレビは好きで、ガキんころはテレビの中に入りたかったな」

ファインダー越し、清居が思い出すように窓の景色に目を向ける。美しい横顔を撮る。

「テレビの中？」

「楽しそうだろう。人がいっぱいいて、みんな笑ってて」

そう言うわりに、机に後ろ手をついて、外を見ている清居は妙に寂しそうに映った。

「あっち側に入れるなら、アイドルでも芸人でもなんでもよかったんだよ」

清居が言い、小学生のころの文集にアイドルになりたいと書いたのはそういうベースがあったのだとわかった。そういえば自分はなんと書いただろう。覚えていないということは、適当にいいかげんなことを書いたのだ。小学校のどのクラスにもいい思い出なんかない。

「清居に芸人は似合わないと思うよ」

「俺もそう思う」

「おもしろいこと言わないしね」

「悪かったな」

清居がむっとする。その顔もファインダーにおさめる。

「おもしろいことを言わなくても、清居は清居でいるだけで特別な存在だよ」

「そういうきもいこと言うのやめてくれ」

「ごめん」

清居はふんと顔を背けた。唇がとがっている。今日の清居は表情豊かだ。平良は夢中でシャッターを切った。清居は話を続ける。清居が小三のとき母親が再婚したこと。新しい父は平凡なサラリーマンだが優しい人で、母との間にすぐに弟と妹が生まれたこと。

「清居の弟と妹なら、どっちも美形なんだろうな」

「普通だな」

「似てないの？」

「俺は別れたほうの父親似だし」

わずかに清居の表情が硬くなり、聞かなければよかったと思った。

家族の中でひとりだけ、誰にも似ていない子供。新しい家庭で清居がどんな風に育ったかはわからない。清居が言わないことを推測することはしない。

不用意だった質問を払うように、シャッターを連続で切っていく。

「おまえんとこはどんなの？」

「普通だよ。父さんは会社勤めで、母さんは専業主婦、吃音でぼっちの息子を心配して過保護気味。小学生に一眼レフを買うとか、清居に言われて初めて気がついた」

「けど趣味になってんだし、無駄にならなくてよかったな」

「それはどうかな」

なんとなくつぶやくと、ファインダーの向こうで清居が首をかしげた。

「見せられない写真ばっかりだし」

「ああ、盗撮写真は見せられないよな」

「ち、違うから」

清居が笑う。その瞬間もカシャリと切り取った。

「親に見せられないって、グロ系？」

「人のいない街とか」

「普通じゃね？」

にぎやかな都市を撮り、そこから人間だけを消していく。その暗い作業自体が好きで、完成したあとの神から罰せられたような風景が好きだと言うと、清居は嫌そうな顔をした。

「知れば知るほどきもいやつだな」

「自分でもそう思う」

「人が嫌いなのか」

その問いには少し考えた。

「本当に嫌いならこだわらない気もするし、でも好きではないと思う」

「俺は？」

ふいに清居の表情が切り替わる。答えなどわかりきっていて、どこか意地の悪い笑みを浮かべている。自信に満ちた目の色に、一瞬で心をわしづかみにされた。

「清居は特別だよ。他の誰とも違う」

床に膝をついて、見上げる角度で何枚もシャッターを切った。それから目の高さにある美しい手にピントを合わせた。絞りは小さく、透明感を出すために露出は上げる。

「手なんか撮ってどうすんの？」

「どうもしない。綺麗だから撮ってる」

ふうんと頭上で清居がつぶやく。次の瞬間、被写体である手が消えた。あ、とカメラを下げると、清居は手を後ろにかくしていた。犬のおもちゃをかくしてからかうご主人さまみたいに楽しそうな、邪気のない笑い方だった。

「撮りたい？」

「撮りたい」

躾《しつ》けられた犬みたいに、ほとんど条件反射で答えると、よくできましたというようにかくれていた手が出てきて目の前に置かれた。たったそれだけで簡単に歓びに満たされてしまい、平良はカメラを構えることも忘れた。ゆっくりと顔をよせていく。

唇に清居の手の熱を感じる。

甘い息苦しさがこみ上げて、絶息しそうになる。

清居はなにも言わない。拒みもしない。

くちづけながら、自分たちの関係はなんなんだろうと考えた。

清居との関係にちょうどいい名前はない。ふたりきりで会うようになっても、清居との関係はやっぱり点のまま、線になって先に伸びてゆく気がしない。

関係というのは互いに作用しあって作られるもので、清居が自分に影響をおよぼすことはあっても、その逆はありえない。だから清居とのことは、たとえるなら神さまへの一方的な信仰に似ている。だったら自分は、敬虔《けいけん》な神父や尼僧のように清居に一生を捧げたい。

「すごいうっとりしてるけど、なに考えてんの？」

「尼になりたい」

そう言うと、清居はなんともいえない顔をし、ぽつりとつぶやいた。

「やっぱ、きも」

冬も終わり、高校最後の春がもうすぐそこまできていた。


三年に上がり、清居とも城田たちともクラスが離れてしまった。

清居も城田たちとクラスが離れ、放課後、新しい友人と一緒に帰っていく姿を見かけるようになった。平良は相変わらずぼっちだが、元々がそうなので通常運転と言える。

高校最後の年は凪《なぎ》の海のようにスタートし、そのことには満足だったが、学校に行きさえすれば清居の姿を見ることができた二年次に戻りたかった。

当たり前だが、清居は平良に電話やメールをしない。平良から清居に連絡などは死んでもできない。清居のクラスとは廊下の端と端に離れていて、偶然すれ違う確率も少ない。もうふたりきりで会える日なんてないのだろうか。気づくと、再び、電車の中のバカップルに爆発しろと念じるようになっていた。

だから四月最後の水曜日、放課後の昇降口で偶然会ったとき、またちらりと投げられた視線に天に召されてしまいそうなほど舞い上がった。清居は手にしていた靴を下駄箱に戻し、平良は音楽室へと向かう清居のあとを夢見心地でついていった。

四月はその一度だけ会えた。五月も一度だけ。六月は清居が視線を投げようとしたときに同じ学年の女子がやってきてだめになり、そのまま夏休みに入ってしまった。

――今度はいつ会えるんだろう。

――もう会えないのかな。

身の程知らずな期待と憂鬱《ゆううつ》に襟首をつかまれたまま、じりじりとうるさい蟬《せみ》の声を聞きながら、受験のために家と塾を往復した。大学は東京《とうきょう》に進む予定をしている。家から通える範囲なので、劇的な変化はないと思う。

もしや清居に会えるかもと、去年、場所取りに駆り出された花火大会に行ったけれど、人酔いしただけで空振りに終わった。去年は花火を見る間もなくファミレスの席取りに行かされたが、今年はちゃんと見られた。夜空に咲く大輪の光の花。なのにたいした感動はなく、逆に清居の不在だけを強く感じてしまい、夏休みなんて早く終われと願った。

待ち望んだ夏休み明け、ちょっとした事件が起きていた。

「ねえねえ、清居くんのアレ見た？」

「見た！　すごかったー」

またなにか書きこまれたのかと、久しぶりに架空のマシンガンを手に取ったが、それは早とちりだった。女子が騒いでいたのは、女の子向けのファッション雑誌に清居がモデルとして出ていたからで、放課後、平良は一目散に本屋へ走った。

帰るまで待てずに店先で雑誌をめくると、確かに清居だった。休日デートにも使える着回しコーデ術という特集で、清居がデート相手の男の子という設定で出ていた。

コンテストを主催した雑誌とは違うし、そもそも入賞していないのになぜだろう。不思議に思ったが、コンテストのときに清居に目をつけた芸能事務所があり、清居はそこに所属するタレントになっていることをみんなの噂で知った。事務所のサイトを見ると、所属タレントの中に清居の写真があり、他にも有名な俳優やタレントがたくさんいて興奮した。

――ガキんころはテレビの中に入りたかった。

――楽しそうだろう。人がいっぱいいて、みんな笑ってて。

あのときにはもう、清居は自分が進みたい方向へ向かっていたのだ。清居はこのまま芸能人になってしまうんだろうか。今ですら遠いのに、そうなったら本当にもう雲の上だなあなどと思いながら、ただ、だらだらとすぎていった自分の高校最後の夏をわずかに恥じた。

清居の雑誌への露出は続き、一時期下火だったネットの中傷は再び盛り上がりを見せた。しかし新しく入学した一年生の女子たちが清居のファンクラブを作り、同学年の女子がそれに慌てて対抗し、清居は以前にも増してアイドルのように騒がれるようになった。

たまに廊下ですれ違うとき、清居は再び大勢の取り巻きに囲まれていて、チラッとでも平良を見る隙はなく、ただ気配が流れていくだけだ。秘密の時間はもうない。

さびしさはあった。

けれど、これが本来だとも思えた。

自分のような底辺ぼっちなんかと関わる隙などなく、人の輪の中心で冷たく笑っているほうが清居には似合う。無人の音楽室や放課後の教室で、清居とふたりきりですごした時間のほうが自分の妄想のように思えて、心細くなってそっと口元へ手をやった。

唇が覚えている清居の手の温度。先へ行くほど細くなる長い指から、完璧な形の爪まで。夢みたいな時間だったからこそ、それは鮮やかすぎるほど鮮やかに胸に焼きついている。

――きも。

相手を軽んじるように薄く笑う形のいい唇。取り巻きに囲まれた清居とすれ違うたび、自分だけが知っている清居を思い出しながら唇をいじっていた。

卒業式の日は寒くて、朝から雪が降っていた。

てっきり芸能界に進むと思っていたが、清居は意外にも東京の大学を受験していた。十代で道を決めなくても、両立できるならそうしたほうがいいと指導があったようだ。

退屈な式の間中、遥か前方にちらりと見える清居の小さな頭を見つめていた。

今日が最後だと思うと、一秒も無駄にできない。

式のあと、平良はクラスのお別れ会があるからと両親に先に帰ってもらった。嘘ではないけれど、平良は出席しない。底辺ぼっちがお別れ会に参加する意義がわからない。

清居はすごい人数の女子に囲まれていた。一年生の中には泣きじゃくっている子も多くいたが、特に慰めの言葉をかけることもなく、淡々と応対しているのが清居っぽかった。

平良はクラス全員の寄せ書きにちょろっと名前だけ書いてしまうと、あとはもうとくに誰とも言葉を交わすことなく、少し離れたところから清居を見ていた。

女子の相手を全てこなしたあと、清居はみんなからの遊びの誘いを断ってひとりで歩いていく。しつこくあとを追おうとする女子たちを、「しつけー」という一言で置き去りにして踵を返す。その一瞬、清居がこちらに視線を投げた気がした。

校門を通りすぎ、清居が向かったのは誰もいない校舎裏だった。非常階段の陰になっているところまできて、清居はようやく振り返って平良を見た。

「ストーカー」

冷たく笑う清居に、なんだかよくわからない感情がこみ上げた。清居と二人きりで向かい合うのは本当に久しぶりで、もうこんな機会は訪れないと思っていたのだ。

「ごめん」

「いいけど」

それきり会話が途切れた。口下手な自分と、さほどテンションが高くない清居。こんな自分たちは、ふたりきりで会っていてもそれほど会話がはずんだことはなく、言葉はいつも雨だれみたいにぽつぽつと降るだけだった。

それでも自分は十分満ち足りていた。わしゃわしゃと羽をこすり合わせる蟬みたいに話をしなくても、光に透ける薄茶の髪だとか、細く長い首だとか、先へ行くほど細くなる指だとか、そういうものをレンズや胸や瞳に焼きつけていく。ただ、それだけで幸せで——。

今は、ひどく焦っている。

なにか言わなくちゃと思うのは、これが最後とわかっているからだ。

最後だと思うと、言葉はどこか遠くに飛んでいく。

「清居——」

「おまえ——」

同時に口を開いてしまい、

「ごめん、なに？　言って」

一言も聞きもらさないよう、平良は前のめりになった。

考えるように清居が視線を斜め上に流す。

「なにっていうか、……おまえさ」

「うん」

「俺に、なにか言うことないの？」

平良はまばたきをした。言うこと？　言うこと？　いきなりすぎて焦りまくった。必死に考えていることを形相だけで伝えていると、清居がすいと顔を背けた。

「も、いい」

横顔が不機嫌だった。ああ、自分はなにを言えばよかったんだろう。

ひたすら自分を呪《のろ》っていると、清居がこちらを見た。一歩踏み出してくる。二歩で足元の水たまりがぱちゃんと音を立てて、三歩目で最後の距離が消えた。

唐突に唇が重なって、目を閉じることもできなかった。

ふれ合ったのは一瞬で、すぐに清居は身体を離した。

「清居？」

限界まで見開いた目で見つめた。

「じゃ、またな」

突き放すように言い、清居はさっさと背を向けた。

清居の後ろ姿が遠ざかっていくのを、ただぼんやり見送った。

夏服の白。冬服の紺。同じ制服を着た群れの中でもひと目で見つけ出せた。一度だって見間違えたことがない。清居が校舎の角を曲がり、完全にそれを見失ったとき、比喩《ひゆ》ではなく力が抜けた。膝をつくと、自然と上半身が前のめりに崩れた。

地面についた手が水たまりに浸かり、ぱちゃんと音がした。

ついさっきまで、清居が踏みしめた水たまりだった。

ひれ伏すみたいに腕を折りたたんでいくと、額と前髪が泥水にひたった。

三月の水の冷たさがしみ込んでいく。

――じゃ、またな。

簡単なお別れの言葉だった。痛い。ひどく痛い。切れ味のいい刃物を素手でにぎりしめているみたいだ。なのに清居の口からこぼれた言葉だから手放せない。それが花でも毒でも刃物でも、清居からもらったものは抱きしめるしかない。

短い、引きつった声が喉《のど》からこぼれ、身体が揺れた拍子、胸ポケットから携帯が水たまりにすべり落ちた。ああ、拾わなくちゃいけない。壊れてしまう。

でも拾う気力もない。
だって清居とはもう会えない。
だったら携帯どころか、世界ごと壊れてしまえばいいと思った。

ビタースイート・ループ

玄関で靴をはいていると、台所から母親の声が飛んできた。

「カズくーん、今日、夕飯どうするの」

「朝からわかんないよ。また電話する」

「そんなこと言って、いつもしないじゃない」

母親が顔を出した。顔が怒っている。先週は二回も夕飯を空振りさせてしまった。

「友達と遊ぶのはいいけど、連絡だけはちゃんとしてちょうだい」

わかった、ごめんと早口で謝り、平良《ひら》は逃げるように家を出た。

駅へ向かいながら、母親も変わったなあと思った。高校時代、帰宅が遅くなろうが、それで夕飯をパスしようが、友達と遊んでいたと言えば許された。しかし大学に入って二ヶ月、つきあいで遅くなる日が多くなるにつれ、母親も普通に小言を言うようになった。

それは、平良が良好な大学生活をスタートさせた証でもある。クラスという小さな単位の箱にびっちり詰め込まれていた高校と違い、大学は基本好きな人間とだけつきあえばいい場所だった。こいつとは合わないな、この場所は苦手だなと思ったら、距離を取る手段がいくつもある。結果、平良の周りから揶揄《やゆ》や侮蔑《ぶべつ》は消えた。

自分に合うサークルを見つけられたことも運がよかった。長年ぼっちライフが染みついていて、サークル活動をしようなんて思いもしなかったが、入学式当日の様子を撮ろうとカメラを持っていたおかげで、写真系サークルから怒濤《どとう》のような勧誘に遭った。

やたらフレンドリーなところには尻込みしてしまったが、眼鏡《めがね》をかけた地味な男の人が「よかったら」とチラシを渡してくれたサークルに思い切って入ることにした。

最初の自己紹介のとき、緊張して軽い吃音《きつおん》を出してしまった。みんながぽかんとする。またこうなるのか……と絶望しかけたとき、

「もしかして、吃音?」

斜め向かいに座っていた一年生男子に問われ、驚きながらうなずいた。

「そっか、大変だね。俺の兄さんも子供のころ持ってたんだ」

男はそう言い、わけがわかっていないみんなに吃音の説明をしてくれた。

「……そうか。そういう病気があるってこと自体知らなかった」

「俺らも勉強するから。なにかこうしてほしいとかあったら言ってほしい」

気遣われた恥ずかしさと小さな口惜《くや》しさはあったが、受け入れられた安堵《あんど》のほうが大きかった。そう思える自分自身、高校のころとは微妙に意識が違っていることに気づかされる。

それが誰のおかげなのか、考えると胸が苦しくなったけれど——。

十五人ほどのこぢんまりしたサークルに、同級生は平良を含めて男ばかり五人いた。ある日部室に行くと、全員がチェックシャツにチノパンという恰好で、ファッションがわからない大

学生はとりあえずこれを着ておけ的なコーディネイトに笑いが起き、それをきっかけにみんなとうちとけることができた。家以外で、これほど楽に呼吸ができる場所は初めてだった。

部室に行くとたいてい誰かいて、カメラの話はもちろんゲームや漫画の話もする。月に一度はテーマを決めた撮影会があるが、それ以外はまったりした雰囲気のサークルで、暇つぶしにだらだらトランプや将棋をしたり、そういうゆるさも平良の性に合った。

中でも、初日に助け船を出してくれた小山《こやま》という男と親しくなった。小山には三つ上の兄がいて、その兄が吃音を持っていた。幸い成人するころにはほとんど症状が消え、今は会社員をしながら知り合いの小劇団の裏方を手伝ったりしている。

「吃音は大変だよね。知らない人は全然知らない病気だから」

「うん、自分で説明するのもなんとなく嫌な感じだし」

「それ兄さんも言ってた。同情引いてるみたいで言いたくないって」

学食でランチを食べながら、平良はわかるようとうなずいた。根深い劣等感の原因になった吃音について、こんな風に他人と話していることが不思議だった。

「そういえば平良、週末空いてる？　ちょっとつきあってほしいんだけど」

「なんか撮りに行くの？」

「うん、錦鯉《にしきごい》」

渋い。顔に出てしまったのか、小山は「親に頼まれたんだよ」と言った。

「母親が通ってる英会話の先生から頼まれたんだって。最近鯉にはまったみたいで、世田谷《せたがや》のなんとか庭園ってところにすごい錦鯉が寄贈されたから、その写真がほしいって」

「ああ、そういう」

「趣味じゃなかったら断って。特に平良は生き物は管轄外だし」

「そんなことないけど」

「そんなことあるよ。初めて平良の写真見たときの衝撃は忘れられない」

サークルではそれぞれが撮った写真を部員同士で講評する。平良の撮った、人物を消した都市の写真は、ドン引き覚悟で出したら意外と評判がよかった。

「しかたない。錦鯉はひとりで行くか」

「いいよ、行く」

「無理してない？」

「してない」

錦鯉に興味が湧《わ》いたわけではないけれど、小山とは一緒にいて楽しい。そこまでは言わなかったが、素直な小山は「やった、嬉《うれ》しい」と顔全部で笑顔を見せた。

「さすがに錦鯉ひとりで撮りに行くのつらかったんだよ。あ、そういえば、平良とふたりで会うの初めてだよね。じゃあさ、鯉のあと夜どっかで飲もっか」

「うん、いいよ」

平良は照れかくしにランチのプレートに視線を逃がした。うちとけて話せる友人ができても、人からよせられる好意にはいまだにどきどきしてしまう。

「居酒屋にする？　それか俺んちでもいいよ。ひとり暮らしだし遠慮しなくていいし」

「なんでもいい」

「あ、その言い方、俺だけ楽しみにしてるみたいで嫌な感じなんだけど」

小山が唇を尖らせる。

「ご、ごめん。そんなことない。俺も小山といるのは楽しいし」

慌てる平良に、「うそうそ、冗談」と小山は笑った。

そのあとは携帯で錦鯉を検索し、ふたりで撮り方を予習した。人間でも動物でも動くものを撮るのは難しい。しかも水中の錦鯉を撮るにはテクニックを要するだろう。ああしよう、こうしようと方針を決めたあと、小山がふいに聞いてきた。

「平良は、人を撮ったことないの？」

「あるよ」

自分から聞いてきたのに、「あるんだ」と小山は驚いた顔をした。

「身内以外でだよ？」

「あるよ」

「もしかして……彼女？」

「え、なんで」

そこまでツッコまれるとは思わなかった。

「平良みたいなやつが人物撮るって、かなりディープな気持ちがないと無理そうだし」

鋭い指摘にどきりとした。黙り込んだ一瞬の間が質問を肯定してしまう。

「でも、彼女じゃないから」

「片思い？」

「……わからない。そういう分類ができない人だった」

言いながら、胸の中にたったひとりの人の姿が像を結ぶ。

死ぬほど好きで、死ぬほど苦しかった。

たったひとつの言葉で、平良を死ぬほど傷つけて、死ぬほど喜ばせた。

清居《きよい》のことを想うと、簡単に死ぬという言葉が浮かび上がる。浅はかだなと思う。けれど語《ご》彙《い》の少ない自分にはそんな風にしか表現できない。それほど好きだった。

「会ったりしてるの？」

「元々そんなに会える人じゃなかったし、連絡先も知らない」

卒業式の日、水たまりに落として携帯のデータが飛んだ。携帯ショップのスタッフにデータの復旧はできないと言われたとき、奇妙に澄んだ気持ちになった。消えたデータの中には清居の電話番号やアドレスが入っていて、ああ、これで終われると思ったのだ。

清居の大学は知っているし、高校のクラスメイトのツテを辿《たど》っていけば連絡先を知ることはできる。モデルの仕事も続けているだろうし、ネットで検索すればどうしているかくらいはすぐにわかる。でもそうしない。してはいけないのだ。

——じゃ、またな。

突き放すように響いたお別れの言葉と、お情けみたいなキスを思い出す。

あのとき、これ以上追いかけるなと釘を刺されたように感じた。

機種だけ変更してもいいのに、やけっぱちで番号ごと変えた。ショップのスタッフが熱心に勧めてくれる、こちらがお得ですよという言葉に乗った。お得、お得、なにがお得なのかはどうでもよくて、ただ、どこにも行きようのない気持ちを動かしたくて、こちらがいいですよという手招きに乗った。こっちがいい。こっちがお得。なにも損はない。

本当にそうだったんだろうか。

卒業式から二ヶ月、友人もできて、普通の大学生みたいにサークルの飲み会などにも参加して、帰宅が遅くなって母親に小言を言われたりしている。ぼっちだった高校時代とは比べられないほど、日々は明るく軽やかに回っている。

なのに、清居の残像だけが消えてくれない。清居を想うとき『死ぬほど』以外の表現を見つけられないまま、死ぬほど好き、死ぬほど苦しい、と繰り返している。

急に黙り込んだ平良に、小山はなにか言いたそうな顔をしていた。

「錦鯉、意外とよかったね」

週末で込み合う居酒屋で、小山はカメラのデータを確認しながら言う。

「外国人にクールジャパンって言われて価値を再発見って情けないけど、あ、おつかれ」

チューハイがきたので乾杯をした。生で見た錦鯉は、イメージより何倍も美しかった。白金に輝く流線型を染め上げる、黒と朱の優雅な模様。全身が金色の鯉もいた。目を瞠《みは》る鮮やかさに、まったく興味のなかった平良ですら、思わずカメラを構えてしまった。

「これ、明日みんなに見せよーっと」

小山が言う。自信作なのかとのぞき込むと、なぜか鯉を撮る平良が写っていた。

「『鯉を撮る平良』ってすごいインパクトだろう」

首をかしげる平良に、小山は「自覚ゼロか」とおかしそうに笑った。

「平良の写真ってわざわざ人がいる風景を撮って、そこから人を消していくだろう。だったら最初から人のいない風景を撮ればいいのに、それがえも言われぬ効果を出してるんだよね。空いたとこに風景を埋め込んでるけど、やっぱ完璧には再現できないし、その微妙な歪《ゆが》みが、こうなんていうか、ぐーって不安になる感じ。あいつはちょっとすごい、でも行く末が心配だってみんな言ってるんだよ。だからこれ見せて安心させようと思って」

自分が永遠の中二病を患っている人のように感じ、平良は顔を赤らめた。ごめんとうつむくと、小山のほうが「なんで謝るの？」と身を乗り出してきた。

「心配っていうのは冗談で、いや、ちょっとは本気だけど。でもなんだかんだ言って平良の写真はみんなすごいって思ってるんだよ。俺も恰好いいと思うし」

「ごめん、ほんと、なんかもう勘弁して」

耳のふちがじりじりと焦げる。小山の視線を感じて顔を上げられない。

「平良、来月の撮影会行く？」

ふいに話題が変わって顔を上げた。

「えっと、来月ってポートレイトだろう？」

「うん、何大学か合同でスタジオにプロのモデル呼ぶやつ」

「俺はいいよ。人物は苦手だから」

「鯉が撮れたんだし、人も撮れるんじゃないかな」

「撮るだけなら普通に撮れるけど、撮りたいと思わないし」

「でも、前に撮ったんだろう。『そういう分類ができない人』を」

「あれは特別だから」

「見たいな」

「え？」

「その写真、見せてほしい」

「ごめん。あれは人に見せるために撮ったものじゃないから」

清居の写真は平良にとっての宝物だ。ふたりですごした奇跡のような時間。一瞬で過去に意識をさらわれた平良を、小山はふうん……ともの言いたげに見つめた。

「なんか、余計に見てみたくなるなあ。平良が今までひとりだけ撮ったポートレイトってどんなだろう。というか、平良にポートレイトを撮らせた人ってどんな人だろう」

「すごく綺麗な人だよ」

そう言うと、小山がぽかんとした。

「なに？」

「あ、ううん、すごいなと思って。そこまでハッキリ言うなんて」

あ……と気づいた。急激に頬が熱を持っていく。

「あの、そうじゃなくて、いや、でもすごく綺麗なのは本当なんだけど、えっと、顔もそうなんだけど、頭とかすごい小さくて、手足もすらっとしてて、同じ制服着ててもモノが違うって感じなんだ。本人は淡々としてるんだけど、よその学校の女子からも騒がれるくらいで」

「え、男？」

しまったと思ったけれど、手遅れだった。

「平良、もしかしてそっちの人？」

頭の中でぱちぱちと軽い火花が散る。こんなとき器用に言い訳ができる人間なら小中高と底辺ぼっちではなかった。どうにも言葉が出ずにうつむくと、

「ごめん、今のは俺の聞き方がデリカシーなかった」

小山が慌てて口を開いた。

「いや、まさか平良がそうだと思わなかったからちょっと驚いて、今、俺がパニックになってる。なんか、俺もあきらめないでいいのかなとか思っちゃって」

平良はまばたきをした。なにを言われているのかよくわからない。

「あきらめるってなにを？」

今度は小山が顔を赤らめた。

「お、俺が、平良を……」

「俺？」

小山は見たことがないほど赤面していて、鈍い平良もようやく理解した。

「………あ」

ぶわっと顔が熱くなった。予想もしなかった展開にどうしていいのかわからずに固まっていると、小山はふうと大きく息を吐き、それから背筋を伸ばして椅子《いす》にかけ直した。

「最初の自己紹介のとき、平良に吃音があるってわかって他人事《ひとごと》に思えなかった。兄さんが小さいころから苦労してたの知ってるし……。それがきっかけだったけど、初めて平良の写真見

せてもらったとき、あ、すごいって思って、そこからはなんか色々……」

目元の朱色がどんどん濃くなっていき、ついに小山はうつむいてしまった。おとなしそうに見えて、意見ははっきり言う小山がこんな風になるのを見たことがなかった。

正直、困った。恋愛という意味で人から好意をよせられたのは初めてだし、小山をそういう目で見たことがない。平良が心を奪われたのは清居だけで、あの衝撃を基準に考えると、自分は一生、誰とも恋愛はできないとすら思っている。

そして落胆もしていた。小山の気持ちを知った以上、もう今まで通りにはつきあえないんだろう。サークルはどうすればいいんだろうか。こういうとき、どちらかが辞めるべきなんだろうか。まったりとした雰囲気がよくて楽しかったけれど——。

「ごめん、いきなりこんなこと言って驚かせて」

沈黙が長引く中、小山が顔を上げた。

「いや、俺も全然気づかなくて……。サークルは俺が辞めるから」

えっと小山が目を見開いた。

「なんで？　俺のこと気持ち悪くなった？　だったら俺が辞めるから」

「そんなんじゃない」

それだけはハッキリ言った。

「小山の気持ちは嬉しい。でも俺は……」

断りの言葉を口にするのが、こんなに難しいことだとは知らなかった。

「好きな人がいるんだよね。そのポートレイトの人」

小山が先回りをしてくれた。

「それはわかってる。大丈夫。好きなだけで、つきあいたいとか思ってないから」

あ、つきあえたら嬉しいけどね、と小山は冗談ぽくつけたした。

「俺たちみたいなのって、好きな人ができても、まず相手の恋愛の範疇《はんちゅう》に入れてもらえるかどうかが最大のハードルになるだろう。俺は昔からずっと勝負する前に失恋だったから、平良が自分と同じだって知れただけで嬉しいというか」

淡々と話す様子に、逆に自制が透けて見えて胸が痛んだ。けれど慰めるのもおかしいし、どうしていいのかわからない。できるなら、ごめんと謝って回れ右したい。そのほうが楽だ。でも正直に気持ちを打ち明けてくれた相手に、自分もちゃんと返さないといけない。

「……俺は」

勇気を出してつぶやいた。

「自分が小山と同じかどうかはよくわからない。たまたまその人は男だったけど、女でも好きになってたと思う。まあ、全然相手にされてなかったんだけど」

「でも、写真撮らせてもらうくらいには友達だったんだろう?」

「それはたまたまで、友達じゃないよ」

「友達でもないのに、たまたま撮らせてもらったの？」

「全然知らない仲でもなくて、昼休みや放課後にパシリとかさせられる感じで」

「え、それひどくない？」

小山が眉をひそめ、平良は焦った。

「そういうとこも魅力的な人だったんだ。良くも悪くも自分なりの基準があって、それに沿ってしか動かないから勝手なところも多かったけど、でも、なんていうか――」

表現力に乏しい自分が歯がゆい。もっとぴったりくる言葉を探していると、

「ほんとに好きだったんだね」

小山が言い、うん……とうなずいた。ああ、待てよ。今のは嘘でもそんなことないよという場面だったのかもしれない。そわそわしていると、小山が苦笑いを浮かべた。

「やっぱり、俺、平良が好きだな」

「俺なんかのなにが……」

本当に理解できない。小山は考えるように首をかしげた。

「なにがって言われても、そんなの自分でもよくわからないよ。雰囲気とか、不器用なとことか、すごく一途なとことか色々。好きってそういうことだろう」

確かにそうだ。好きにたいした理由はない。だからこそ自分ではコントロールできない。離れたくても離れられない。引力みたいに、問答無用で引かれてしまう。

清居への気持ちがまさにそれだ。

ぬるくなったチューハイを飲み干すと、「次なにする?」と小山がメニューを取った。マンゴーのチューハイあるよとか、紀州《きしゅう》の梅酒おいしそうとか、どうでもいい話をする。結局、お互いグレープフルーツのチューハイというありきたりのものを頼んだ。

「じゃあ、改めてかんぱーい」

小山がグラスを持ち上げる。

「なんの乾杯?」

「そういうこと聞く?」

「あ、ごめん」

いいよ、と小山は笑った。

「えーっと、じゃあ、これからもよろしくっぽい感じで」

よろしくお願いしますと茶化して頭を下げられ。平良も慌てて下げ、それから乾杯をした。

一旦休戦という言葉が思い浮かぶ。小山の告白や、これからどうつきあっていくかという現実的なことを置き去りに、その夜はふたりとも結構な量を飲んだ。

本格的な梅雨に突入し、部室にも湿っぽい空気が充満している。誰かが食べ残してそのままになっていたパンにカビが生えてしまい、こんなことになるのも女がいないせいだ、女子部員を勧誘しようと先輩が言い出し、しかし誰も実行に移そうとしない。

「大学には女の子があふれてるのに、どうしてここには女の影すらないんだ」

「イケメンがいないからじゃないですか？」

冷静に分析した一年の頭を先輩がこづいた。

「あーあ、おまえらが女だったらなあ」

「俺らの女版なんて口説きたいですか？」

「願い下げだ」

みんな果てしなく馬鹿で不毛な話をしている。

「うちってほんとゆるいよね」

隣でカメラ雑誌をめくっていた小山が笑う。

「そういうとこが俺は好きだけど」

「まあね。あ、平良、今日うちこない。夕飯作るから」

「また実家から攻撃受けたのか」

しょっぱい顔をすると、お願いと拝まれた。小山の実家は野菜農家で、東京で独り暮らし中の息子に頻繁に野菜を送ってくる。その消費係として平良が駆り出されるのだ。

「いいけど、野菜だけ鍋はもう嫌だ。今日は特に暑いし」

「じゃあ鉄板焼きにして鶏肉入れるよ。ムネならある」

「あればぱさぱさしてるから嫌だ。ウインナーのほうがまし」

「じゃあ帰りスーパーつきあって」

いつもの会話を交わす中、「こらこらこら」と後ろから丸めた雑誌で頭を叩《たた》かれた。

振り向くと、静かに怒っている先輩と目が合った。

「おまえら、女がいないって嘆いてる俺らの横で、男同士で自給自足みたいな会話すんな。なにがムネ肉ぱさぱさだ。ウインナーがいいだ。帰りスーパーつきあってだ。新婚さんか。全然うらやましくないのに、なんかうらやましっぽく聞こえるから自重しろ」

平良と小山はぽかぽかと木魚みたいに頭を叩かれた。ひどい八つ当たりだ。

「先輩たち、溜《た》まってるね」

「完全なる言いがかりだ」

小声で文句を言うと、ふふっと小山が笑った。なんだか嬉しそうに見えて、平良は微妙に尻のすわりが悪くなった。ごまかすように誰かが持ち込んだ古いテレビをつける。

小山との関係は以前と変わりなく、いや、それ以上に親密に続いている。恋愛めいた話は欠《か》片《け》《ら》も出ないけれど、それでも小山の態度や言葉の端々から控えめな好意が伝わってきて、たまにこれでいいんだろうかと疑問が生まれる。

このつきあいは平良には心地いいけれど、小山にはしんどい部分もあると思う。甘えている自覚があるのに、友人としてつきあいを続けるのはずるい。かと言って、相手がなにも言ってこないものを、自分から「ごめん」と距離を取るのもうぬぼれているようで恥ずかしい。申し訳なさと同時に、やんわりと退路を断たれているような息苦しさも感じる。

宙ぶらりんで、どうすればいいのかよくわからない。

ぼんやりテレビを眺めていたとき、ふいにそのＣＭがはじまり、平良の意識は一瞬で切り替わった。清涼飲料水のＣＭで、平良と似た年齢の男女四人が海辺を走っている。

左から二番目の位置に清居がいる。

初めてこれを見たとき、心臓が止まるかと思った。

ちょうど自宅のリビングのソファに寝転がってゲームをしていたときで、平和な日常の中でいきなり通り魔に刺された感じだった。なにが起きたのかわからずに、馬鹿みたいに口を半開きにしてテレビを見ているうちにパーティは全滅していた。

「平良、このＣＭ好きだね」

小山が言った。

「そうかな」

画面に食い入ったまま、心ここにあらずで答えた。ＣＭは終わっているのに、子供が振り回す真夏の花火みたいに、胸にも目にも清居の姿が発光するような尾を引いている。

「清居奏《そう》、好きなんだ？」

平良ははじかれたように振り向いた。

「え、な、なんで清居って――」

どうして小山が清居を知っているのか。

「さっきのCMに出てる俳優だろう?」

「俳優? モデルじゃなくて?」

「確か俳優って載ってたけど」

小山は自分の鞄《かばん》から薄い雑誌を取り出した。

「兄さんが裏方手伝ってる劇団が発行してるフリーマガジンなんだけど、そこに載ってたような……ああ、あった、ここ。まだそんなに有名じゃないけど、じわじわきてるよね」

指されたページに清居の写真があり、名前の横に俳優と入っている。

――ほんとだ、すごい……。

自分が友達ができたと低いレベルで喜んでいる間に、清居はさらなる高みへ行ってしまっていた。高校生のときと変わらず胸が高鳴る。CM、雑誌。見ないように見ないようにと自制していたのに、こうなるともうだめだ。傾けられたペットボトルみたいに、どぼどぼと勢いよく気持ちが零れ落ちる。

「それ、あげるよ」

えっと雑誌から顔を上げた。

「いいよ。お兄さんの本なんだろう」

「フリーマガジンだからいい。清居くんのこと、かなり気に入ってるみたいだし」

からかうように笑われ、なんとなく清居が例の人だとは言いづらくなった。そういうんじゃないんだけどと曖昧《あいまい》にごまかしていると、他の一年から声がかかった。

「みんなで焼き肉食い放題行くけど、おまえらどうする」

「あ、俺たち今日は野菜メインの鉄板焼きだから」

小山が答え、「草食男子かよー」とみんながぶつぶつとぼやく。

「鍵だけ締めといて。じゃあな」

「はいはーい、じゃあねー」

小山たちが手を振り合う。

「さよなら」

と平良は言った。

みんなを見送ったあと、首をかしげている小山と目が合った。

「なに？」

「前から思ってたけど、平良のあいさつっておもしろいね。さよならって普通はあんま言わないだろ。『じゃあ』とか『また』が多いと思うけど、それは絶対言わないし」

なにかこだわりでもあるのかと問われ、反射的に清居の姿が浮かんだ。

――じゃ、またな。

突き放すみたいに響いた言葉と、これでおしまいと釘を刺すみたいなキス。思い出すにはきつすぎて、無意識に言葉自体を避けていたのかもしれない。

「特に理由はないけど、『じゃあ』とか『また』ってお別れっぽくてさびしいし」

一般論にすり替えると、小山はキョトンとした。

「さびしいって言ったら『さよなら』のほうだと思うけど。『じゃあ』とか『また』って『また明日』とか『また今度』の略だろう。ちゃんと次がある挨拶《あいさつ》じゃないか」

今度は平良がぽかんとした。『じゃあ』とか『また』は『また明日』や『また今度』の略。確かに、小山の口から言われると素直にそう思えた。自分だって元々そういう解釈をしていたはずだ。けれど、清居の言葉を『また今度』と受け取ることはできなかった。

清居が自分なんかに『また今度』と言うはずがない。

なのにいまさら、心の中にクエスチョンが生まれていた。なんとなくポケットから携帯を取り出し、データを紛失したことを思い出す。番号も変えてしまったので、清居から連絡がきていてもわからない。なんだろう。正体不明の焦りがふくらんでいく。

「平良、俺らも帰ろうか。雨きつくなるみたいだし」

声をかけられ、我に返った。

「スーパー寄るけど、チューハイやビールも買う?」

そうだねと適当に返事をして、平良は携帯をポケットに戻した。いまさら馬鹿な夢を見ている自分を情けなく感じた。

「あー、やばい、もうきつくなってる」

校舎の玄関先で、小山が雨空に手を差し出す。男にしては細い手。

清居の手も細かった。さらに、なんともいえない佇《たたず》まいがあった。わずかな動きで浮き上がる、小さくて丸い手首の骨。袖《そで》の奥に続く肌を想像しそうになるのを何度もこらえた。

歩き出すと、足元でぱちゃんと水たまりが音を立てる。

道のあちこちにいくつも散らばっている水たまりは、清居が踏みつけたあの日の水たまりではなく、清居の喪失という事実が性懲りもなく胸に迫ってくる。

内臓をぐうと絞られるような苦しさを抱えたまま、なんてことない顔をして、小山とどうでもいい話をしながら歩いていく。毎日は楽しい。ひとりぼっちだった高校時代より、ずっと穏やかで楽しいはずだ。なのに、どうしてなんだろう。

清居との記憶にふいに襟首をつかまれる。

汚れた川を流されていくような毎日の中で、清居に出会った。冷たい目で平良を見て、きもいとかうざいとかひどいことを言った。そしてたまに笑ってくれた。ふれさせてくれた。清居は優しくなかった。なのにすべてが鮮烈だった。

清居は平良の心の中、平良自身でもふれられない聖域に今も泰然と立っている。

夏休みに入り、小山から芝居に誘われた。小山のお兄さんが裏方を手伝っている劇団の舞台だが、本公演ではない研究生中心の作品なので客集めに駆り出されたのだという。

「頼むからきてくれって拝まれちゃって。つきあわせてごめんね」

「いいよ。俺も楽しみだから」

誰かに誘われでもしないと、舞台など見る機会はない。それに、実はそのあとの予定のほうが気になっていた。舞台が終わるのは夕方で、そのあとは小山の部屋で夕飯を食べる約束をしている。いつものコースだが、今日はちょっと違う。

「夕飯、本当に家でいいのか」

行きの電車に揺られながら、もう一度小山に聞いた。

「せっかく誕生日なんだし、外行くならおごるのに」

「いいって、家のほうがゆっくりできるだろ」

ドアにもたれて小山が笑う。だったらいいけどと平良は引き下がった。

今日は小山の誕生日だ。芝居に誘われたときは知らなかったのだが、あとでサークルの誰かが話しているのを聞いた。言えばよかったのにと言うと、小山は「へへ、なんとなく」と照れたように笑い、そのとき、いいかげんちゃんとしなくちゃなと思った。

小山とは普通に仲のいい友人づきあいを続けているけれど、小山の気持ちが友情ではないことを知っている。小山は自分の気持ちを押しつけるようなことはけっしてせず、ただ、ほんのりと好きの気配を漂わせて平良の隣にいる。

本当に無理な相手なら迷うこともないけれど、そうではないのが厄介だった。小山とは気が合う。そして健気と言ってもいい小山のやり方に、ちゃんと応えなくちゃいけないんだろうなと、じわじわと責任感めいた気持ちが芽生えてきている。

後ろから押し出されるような感じで、先日、小山の誕生日プレゼントを買った。誰かにプレゼントを贈るなんて初めてで、かなり迷った末、カメラストラップにした。丁寧にオイルを塗り込まれたヌメ革製で、使い込むほど味が出そうで自分でもほしいくらいだった。

夕飯を食べたあと、プレゼントを贈り、つきあおうと言おうと思っている。なんだか工場のベルトコンベアにのせられている気分だ。ぼうっとしている間に、着々と出荷できる形に作られていく。自分はどんな顔でつきあおうなんて言うんだろう。ひどく滑稽《こっけい》なことになる気もするし、意外と普通に言える気もしている。どちらにせよ、どこか他人事みたいに感じている自分が不思議だった。

――恋愛ってこういうものか？

こちらの都合などお構いなしに、容赦なくすべて根こそぎ奪っていってしまう、嵐のようだった清居への気持ちとはまったく違う。

自分は、間違っているのかもしれない。

清居への執着から逃れるために、小山を使おうとしているのかもしれない。

こういうとき、他の人はどうするんだろう。絶対に届かない相手を、ずっと思い続けてひとりで生きていくんだろうか。隣にいる人にふと気持ちが揺れたりしないんだろうか。弱いのは自分だけなんだろうか。歪みなく正しい答えがあるのなら、誰か教えてほしいと願った。


芝居だと聞いていたのに、会場は普通の喫茶店だった。中もごく普通で、やや椅子が詰め込まれている感をのぞけば、営業中ですと言われてもわからない。

「お店全部が舞台で、客は舞台の中から舞台を観るスタイルなんだって」

もらったチラシを見ながら小山が言う。

「からみ席っていうのがある。そのテーブルに座ったら役者からいじられるんだって」

「絶対嫌だ」

そんなことをされるくらいなら帰る。小山は「だよね」と笑って他の席に座った。ウェイターが普通に注文を取りにきたので、いいのかなと思いつつコーヒーを頼んだ。

「なんか変わった劇だな」

「うん。楽しそう。俺、こういうの好きだな」

コーヒーを飲みながら話していると、いきなりカウンターの中のスタッフが大声で喧嘩《けんか》をはじめたのでぎょっとした。さっきコーヒーを運んできたウェイターとマスターだ。

「なんかトラブルかな」

ヒソヒソと小山に話しかけた。店内中の客が息をひそめて見守っている。

「……ね、あの人たち、役者さんなんじゃない？」

そう言われて、やっと合点がいった。もう劇ははじまっていた、というか、開演前から開演していたのだ。喫茶店でいきなり隣の席のひとたちが喧嘩をはじめたような、ついつい聞き耳を立ててしまうような臨場感がすごい。

すっかり引き込まれる中、入口のベルを鳴らして客が入ってきた。ずかずかと大股《おおまた》で店内を横切り、カウンターに座ってコーヒーを頼む。喧嘩をしていたウェイターとマスターが慌てて口を閉じる。もちろん入ってきたのは客の演技をしている役者で――。

「平良、あの人」

小山が小声で話しかけてくる。

「あの男の子、ＣＭで見たことある」

「え、有名な子？」

気づいた客もかすかにざわついている。

それらをうるさいと感じることもないほど、平良は一瞬で見入ってしまっていた。

心臓が爆発しそうにうるさい。膝《ひざ》の上でにぎりしめた手が細かく震えている。顔も耳も首筋も熱い。ああ、どうしよう。腹の底から暴風雨みたいな感情が湧き上がってくる。

——清居。

平良の目の前に清居がいる。清居が話している。コーヒーを飲んでいる。新しい役者が次々と登場するが、神経の全てが清居に集中していて話の筋などわからない。

役者がカウンターのスツールから立ち上がり、店内を歩き回りながら演技をする。からみ席の客をアドリブでいじる。どんどん芝居が盛り上がる中、清居がこちらにやってくる。セリフを話しながら平良の横を通りすぎたとき、ふと目が合った気がした。

たかがその一瞬で、あらゆるものを吹っ飛ばされた。

吃音を理解してくれる友人や先輩ができたこと。友情でない好意をもってくれる人ができたこと。普通の人にはなんでもない、でも自分にはひどく得難かったもの。それらが簡単に、あっけなく吹っ飛ばされていくのを、平良はなす術《すべ》もなく見ていた。

清居は嵐のように、せっかく実った果実のすべてをもぎとっていく。

悲しい。なのに嬉しくて、どうしていいのかわからない。

「——平良」

肩をゆすられ、えっとそちらを向いた。

「途中からぼんやりしてたけど大丈夫？　顔赤い。熱あるんじゃない？」

「ああ、ごめん、大丈夫。ちょっと見入ってただけだから」

清居に奪われていた意識が、ゆっくりと自分の中に戻ってくる。

芝居が終わって、ざわつく店内に目を向けた。普通なら楽屋に引っ込む役者が、店内に残って客の相手をしたり、知り合いと話をしたりしている。

平良はとっさにうつむいた。唐突すぎてわけがわからなくなっていたが、我に返ると、自分はここにいてはいけないことを思い出したのだ。

――じゃ、またな。

もう追いかけるなと言っていた背中。なのにわざわざ調べて観にきたと思われたら困る。清居の目につく前に早く帰ろう。一刻も早く。椅子から立ち上がったとき、

「和希《かずき》」

ふたりづれの男が小山に話しかけてきた。

「あ、兄さん。佐藤《さとう》さんもおつかれさまです。舞台、変わった演出でおもしろかったです」

「そりゃよかった。演出も研究生がやったから伝えとくよ」

答えながら、小山の兄が平良に向かって軽く会釈した。

「紹介するね。こっち、友人の平良くん。大学の同級生でサークルも一緒なんだ。平良、こっちは俺の兄さんと友達の佐藤さん。佐藤さんは演劇系のフリーライターで、ここの劇団が出してるフリーマガジンにも記事を書いてる」

「はじめまして、和希の兄です。いつも弟が世話になってるね」

「あ、いえ、はじめまして」

平良は緊張して頭を下げた。佐藤のほうもよろしくと名刺をくれた。名刺なんてもらったのは初めてで、物珍しく見ていると、佐藤が「で、この子が例の？」と小山に聞いた。

――例の？

平良が怪訝《けげん》な顔をすると、小山が「そういうのいいですから」と焦って制した。佐藤がニヤニヤとこちらを見ている。自分たちの微妙な関係を知っているようで居心地が悪くなった。

「あ、そういえば清居奏《そう》出てたね。出演者に名前なかったからびっくりした」

話題を変えようと、小山が唐突にその名前を出した。

「だろう。主宰と清居くんが知り合いで、今回はゲスト出演って形だな。告知打つと若い女の子で溢《あふ》れるから、サプライズゲストってことにしたんだよ」

「なるほど。ＣＭも出て、ぼちぼちブレイクしてる感じだもんね。平良もすごい清居くんのファンだし」

いきなり振られ、反応が遅れた。

「え、そうなの？　じゃあ紹介するわ。おーい、清居くん」

静止する間もなく、佐藤が声を張り、店の奥で人と話していた清居がこちらを向いた。佐藤の手招きを受けて清居がこちらにやってくる。平良はパニックになってうつむいた。

「清居くん、おつかれ。こないだの飲み会ではどうもね」

　佐藤が慣れた感じの挨拶をする。

「楽しかったです。また誘ってください。今日のどうでした？」

「華があってよかったよ」

「演技にはノーコメントですか」

「まあそこはおいおい」

　清居が顔をしかめ、小さな輪の中で笑いが起きる。平良はひたすらうつむき、自分の存在を消しにかかっていた。どうか、どうかこのまま終わってほしい。

「清居くん、こっちの子、清居くんのファンだって」

　佐藤が紹介し、心臓がびくりと縮んだ。

「同年代の男ファンって貴重だよな。ほら清居くん、サービスサービス」

　急かすような佐藤に、やめてくれと心の中で願った。

「よう、久しぶり」

　清居が言い、場におかしな間が生まれた。恐る恐る顔を上げると、清居と目が合った。記憶と少しも変わらない、完璧に美しい形の目に一瞬で射抜かれる。

「清居くん、彼と知り合いなの？」

「高校の同級生です」

淡々と答える清居に、佐藤と小山の兄が「は?」とおかしな顔をした。

「ちょ、清居くん、どういうことよ。そういうことは早く言ってよ」

「すいません、ちょっといたずら心で」

清居と小山の兄たちがこそこそと話している。意味がわからず、どうしていいのかもわからずに突っ立っていると、ふいに清居がこちらを見た。

「元気?」

びくりとした。清居から声をかけてくれた。たった一言。けれど平良をのぼせ上がらせるには十分で、遠くからすごい勢いで懐かしいあいつがやってくるのを感じていた。

「げ、げ、げ、げ、げげっ」

元気だよ。そのたった一言が喉《のど》に詰まりまくる。忘れていた消えてなくなりたいほどの羞恥にまみれていると、清居が冷めた目で一言つぶやいた。

「きも」

平良以外の全員がぎょっとした。小山の兄が控えめに口を開いた。

「清居くん、彼のは吃音っていう——」

「あ、い、い、い、いいんです」

平良は慌てて割って入った。清居はなにも変わっていない。そのことが嬉しくて、懐かしくて、ほとんど泣きそうになりながら憧憬《どうけい》の目を清居に向けた。

「お、俺は元気だよ。清居もすごいね。色々がんばっててびっくりした」

「まあな」

清居はわずかに顎《あご》を反らし、薄い笑みを唇に貼りつけて平良を見下げている。清居らしい冷たい笑みに、大学生になってからの穏やかな何ヶ月間が夢のように揮発していく。自分がいるべきはこちら側なのだと、元々知っていたことを改めて思い出した。

「このあと打ち上げあるけど、くる?」

思いもよらぬ誘いだった。けれど一秒も迷わなかった。

「行く」

「あっそ。場所どこだったかな」

清居が周りを見回したとき、スタッフが清居や小山の兄たちを呼ぶ声がした。

「場所、適当に誰かに聞けよ」

清居はめんどくさそうに言い捨てて踵《きびす》を返し、小山の兄と佐藤も「じゃあまた」と忙しそうに走っていった。清居が目の前から消えても、平良はすぐには戻ってこられなかった。

「友達だったんだ」

ぽつんとしたつぶやきに、あっと隣を見た。すっかり小山の存在を忘れていた。

「知り合いなら、最初からそう言えばよかったのに」

「ごめん、言う機会がなくて」

「機会なんていくらでもあっただろう」

「……ごめん」

小山は答えない。ひどく気まずい空気が漂った。

「夜、どうすんの？」

「打ち上げ？」

問うと、小山はむっとした。

「うち、くるんだろう」

自分の迂闊《うかつ》さに思い至った。

「あ、ごめん」

「謝るなら、清居くんに謝ってこいよ」

言外に打ち上げを断ってこいと言われている。当然だ。今夜は小山の誕生日で、最初からそういう約束だったし、平良の鞄の中には小山へのプレゼントが入っている。胸の中には告白の言葉も入っていた。なのに今、それらは木端微塵《こっぱみじん》に吹っ飛んで、平良の心を占めているのは清居のことばかりだ。

「断るなら早くしないと、向こうも席の押さえとかあるし」

やんわりと急かされ、平良は「……うん」と清居のほうへ歩き出した。理不尽にも、まるで刑場へ引き出されていく罪人みたいな気持ちだった。

近づいたはいいが、人の輪に囲まれている清居に話しかけるなんてできるはずがなく、一歩下がったところで途方に暮れていると、いきなり清居が振り返った。

「なんだよ」

あからさまにうっとうしそうな表情だった。

「う、打ち上げなんだけど——」

「場所なら佐藤さんが知ってるからあっちに聞けよ」

「違うんだ。ちょっと今日用事があって」

清居は首をかしげた。

「だから、打ち上げには行けなくて……」

瞬間、清居の目が鋭くなった。

——嘘だよ、行くよ、這《は》いずってでも行くよ。

今すぐ清居の足元にひざまずきたくなる。けれど少し離れたところから小山がこちらを見ている。冷や汗をかきながら固まっていると、ふいに清居の表情がほどけた。

「おまえがこようがこまいが、どうでもいいんだけど」

この上なく面倒そうに言うと、清居はまた人の輪に戻った。

平良は馬鹿みたいにそこに立ち尽くした。

ああ、そうだったと、すうっと焦りが遠のいていくのを感じていた。

自分がいてもいなくても、清居にはたいした意味はないのだ。わざわざ行かないと言いにいった自分はとんだ間抜けだ。自分が間抜けだということを久しぶりに思い出し、今でも清居はいとも簡単に自分を間抜けにするのだと思い知らされた。

その夜は上の空で、せっかくの小山の誕生日だったのに少しも盛り上がらなかった。プレゼントは渡したが告白もしなかった。できるはずがなかった。

九月の終わり、夏休みが明けて久しぶりに小山と会った。顔を合わせるのは誕生日以来で、バツが悪い平良を尻目に、授業が終わると小山はごく普通に話しかけてきた。

「久しぶり。夏休み、どっか行ってた？」

廊下を連れ立って歩きながら、小山が屈託なく問いかけてくる。

「特には。ずっと家にこもってた」

「そうなんだ。うん、あんまり焼けてないしね」

小山が曖昧に笑い、屈託なく、というのは違うのだと鈍感な平良にもわかった。夏休み中、何度もあった小山からの誘いを『ちょっとバタバタしてて』とずっと断っていたのだ。矛盾した答えを小山はおかしいと思っているだろう。なのになにも言わない。

「小山」

「うん？」

「俺、ずっと考えてたんだけど……」

心はとっくに決まっているのに、それを口にするのは勇気がいった。

清居と再会した日から、平良は壊れた。もしくは元に戻った。

頭がおかしくなったみたいに、毎日ネットで清居を検索するようになった。今まで意識的に避けていた分、くすぶっていた火種にガソリンをぶちまけられたみたいに大炎上中だ。夕飯中まで携帯を離さないので母親にしかられた。自分でも気持ち悪い。

なにより最悪なのは、高校時代に禁じたはずの行為に耽《ふけ》ってしまったことだった。清居がモデルをしている雑誌を買い集め、貪《むさぼ》るように眺めているうちに、どうしても我慢できずにしてしまった。どれだけ抑えても、心の底には当然のように清居にふれたい欲望がある。手の中に放った液体の感触は平良を自己嫌悪の渦に叩《たた》き込み、清居をますます遠く高い存在にした。

「もう、こういう風に小山と話したり会ったりするのやめようと思う」

覚悟を決めて一息で告げた。

小山はなにも言わない。まっすぐ前を見て歩いている。

「サークルは俺が辞めるから」

やはり小山はなにも言わない。カフェも中庭も通りすぎ、一体どこに向かっているのかわからない。小山はわき目もふらず、ただ目の前の道を歩いていく。

「聞いてる?」

問うと、ようやく小山が立ち止まった。そして怒ったように平良を見た。

「聞いてる。だったらサークルは俺が辞める。というか、前もこんな話したよね?」

「前とは違う。こんなに待たせておいて、いまさら悪いと思ってる」

「待たされたなんて思ってない。俺が勝手に好きだっただけだ」

「それを知ってて甘えてたんだから、俺が悪いよ」

小山が唇をかみしめた。

「お互い知ってて、それでうまくやれてたんだから、これからもそれでいいじゃないか。俺は平良に今以上のことなんて望んでない。今のままでいいんだから」

「……だめだよ」

小山にそんなことを言わせている時点でもうだめだ。

「こんなの、つらくないはずないだろう。いくら俺が馬鹿でもそれくらいわかる」

小山は口を真一文字に結んでうつむいた。

「……やっぱ、清居くん?」

「え?」

「平良が好きだった人って、清居くんなんだろう」

否定しようかと思った。でもそれに意味を感じなかった。

「うん」

「夏休み、清居くんと会ったりしてた?」

「会わないよ。清居が俺なんかと会ってくれるはずないだろう」

「打ち上げに誘われてたじゃないか」

「清居には、そんなのどうでもいいことだからだよ」

「清居くん、平良の吃音のこと『きも』って言ったじゃないか」

「高校時代からだよ。俺はそういう清居が好きだったんだ」

「わかんないよ。なんでそんなやつのこと好きなんだよ。向こうも、きもいと思ってるやつをなんで打ち上げに誘うんだよ。おまえら、おかしいよ」

そうだろうか。そうかもしれない。けれど——。

「そんなやつのどこが好きなんだよ」

ストレートな問いに、平良はわずかに首をかしげた。

どこが好き。自分は清居のどこが好きなんだろう。

清居は善人じゃない。優しくない。言葉もきつい。人をパシリに使う。それでも、清居は自分をヒイくんと呼ばなかった。パシリに使っても金をたかることはしなかった。他の生徒が平良を使おうとしたとき止めた。それらは善意から出たものではなかったとしても——。

自分と清居の間に起きたことを言葉にして、だから好きなのだと恋愛に関連づけることは不可能な気がする。どれだけ言葉を並べても、言葉にできないそれ以上のなにかがあって、それが自分を清居につなぎとめている。恋は、とことん本人だけの問題だ。道徳も倫理も通用しない不毛の場所でいきなり生まれたり、または消えたりする。

「ごめん、説明できない」

正直に答えた。

小山はうつむいたままなにも言わない。

明るい大学の廊下を、たくさんの学生が行きすぎていく。

「……わかった」

小山がつぶやいた。

「理由なんてないけど好きって、それが一番強い。でも俺にも俺の気持ちがあるし、考えたり整理したりする時間がほしい。それまでは今まで通りでいてほしい」

時間を置いてどうにかなるものではないと思うけれど、こんなに長く引っぱっておいて、自分の言いたいことだけすべて通すのはあんまりな気がした。

「わかった」

そう言うと、少しの沈黙をはさみ、小山がふうっと大きな溜息をついて顔を上げた。

「なんか、喉渇いた」

かくんと肩から力を抜き、平良を見上げてくる。

「カフェ行こうよ。アイスコーヒー飲みたい」

「え、でも」

「俺の気持ちの整理がつくまで、今まで通りって言っただろう」

小山はやけっぱちのように言い、さっさと前を向いて歩き出した。


十月の半ば、清居《きよい》がゲスト出演しているという芝居をこっそり観にいった。

公式では出ていない情報で、清居の濃いファンらしい女の子のツイッターとフェイスブックを張って、ようやく手に入れたレア情報だった。

しつこく追いかけ回していると思われるのは嫌だったので――実際、しつこく追いかけ回しているのだが――帽子とサングラスとマスクで変装をして行ったのに、予想以上に会場が狭くてすぐにバレた。芝居後、ロビーの片隅で配られたアンケート用紙に芝居の感想、主に清居の演技が素晴らしかったことを書き込んでいると、後ろから声をかけられた。

「どこの変質者だよ。きもくて逆に目立つ」

びくりと振り向くと、清居が腕組みで立っていた。

「あ、あ、ご、ご、ご、ご」

ごめん、というそれだけの言葉が引っかかる。

「謝るくらいならくんなよ。今日は彼氏は一緒じゃないのか？」

——彼氏？

「か、か、か、か、かか」

「ちっさいビーバーみたいなやつ。前、一緒にきてただろ」

清居は狭いロビーを見回す。最初の一文字しか言ってないのに、普通に会話がつながることが不思議だった。少しずつ落ち着いてきて、平良は深呼吸をして口を開けた。

「な、なんで、俺の言ってることがわかるの？」

ようやく言葉が出た。清居は嫌そうに顔をしかめる。

「おまえの吃音《きつおん》は、いいかげんもう慣れっこなんだよ」

吐き捨てるような言い方。ひどい。なのにじわじわ歓びが湧《わ》き上がる。プラマイ計算をしてもプラスになるかどうかは微妙な秤《はかり》の上で、それでも自分は嬉《うれ》しいと感じてしまうのだ。

——そんなやつのどこが好きなんだよ。

本当にわからない。もともとの秤が壊れているのかもしれない。だとしても、直そうと思わない。そういう自分に不都合を感じない。

「で、彼氏は？」

うっとりと見とれている平良《ひら》に、清居がいらだたしげな目を向ける。

「今日は俺ひとり」

「なんで？」

にらまれ、どきりとした。

「り、理由は特にないんだけど。約束してないし、そもそも彼氏じゃないし」

清居は怪訝《けげん》そうに眉根をよせた。

「小山《こやま》さんが、おまえらつきあってるって言ってたぞ」

「小山？」

「兄ちゃんのほうな。弟に彼氏ができて心配してるんだと」

「……あ、そうなんだ」

ようやく意味がわかった。

「彼氏じゃねえの？」

「違う。でもそうなりかけたときはあったから、誤解してるんだと思う」

「へー……、つきあいかけたんだ」

清居は不機嫌そうにつぶやいた。

「で、今日はひとり？」

「うん」

「打ち上げくる？」

「え、いいの？」

「きたかったら、勝手にくればいいだろ」

清居はパンツの尻ポケットから折りたたんだチラシを取り出した。打ち上げ会場だろう店のチラシで、小さな地図もついている。それを投げ出すように差し出してくる。

「あ、ありがとう。行く、絶対行くよ」

胸のあたりが一気に温度を上げた。そんな自分に清居は冷たい一瞥《いちべつ》を投げかけただけで、あっさり去っていく。その背中を、平良は五体投地したい思いで見送った。


知り合いなど誰もいない打ち上げで、平良はずっと隅の席でひとりでいた。

清居がこちらにきてくれる、などということはなかった。当然なので不満はない。それより清居を見つめることができる歓びが勝っている。

打ち上げの間、清居の隣にはずっと有名な俳優が座っていた。その俳優は今日の舞台には出ておらず、打ち上げから参加したようだった。ふたりは親密そうに話をしている。

「清居くんと入間《いるま》さん、なんか怪しいよなあ」

隣に座っている男の言葉に、ぴくりと耳が反応した。

「いまさら。入間さんが若い美形好きなのは有名だし」

「清居くんもそうなのか」

「一部ではそう言われてるけど?」

男たちの噂話に、ざわざわと胸が粟立《あわだ》った。

「あ、あの……」

思い切って話しかけると、ふたりがこちらを向いた。

「清居って、そうなんですか?」

「え?」

「男が好きな人って……」

もごもご口の中でつぶやいていると、男たちはニヤニヤ笑いを浮かべた。

「ここだけの話にしといてよ。ま、この業界じゃ珍しい話でもないけどね」

あまりにあっさり肯定され、平良は呆然《ぼうぜん》とした。

清居は同性を恋愛対象にできる——。

高校時代、あれほど女子に騒がれながら、清居は彼女を作らなかった。思い起こせば、手にキスをさせてくれた。卒業式の日は唇にまで。そういう要素が一ミリもなければ、同性相手にそんなことはできないはずだった。

自分が清居とどうこうなれるなんて思っていない。なのに胸がさわぎだす。音楽室や放課後の教室。ふれ合った清居の感触を思い出し、平良は指先でそっと唇をなぞった。

清居と入間はずっと親密そうに話をしている。あの俳優が清居の恋人なんだろうか。清居はあの男とキスをするんだろうか。それ以上のことをするんだろうか。あの男は清居にくちづけて、服を脱がせて、あらゆるところにふれるんだろうか。

自分には手が届かないとあきらめているのに、生々しい想像にぎりぎりと杭《くい》を胸にねじ込まれるような痛みが生まれ、それ以上考えることをやめた。

一軒目を出て、続く二次会、三次会にも平良は参加した。もちろん清居がいたからだ。話し相手もいないのに、少しでも長く清居を見ていたかった。三次会のカラオケがお開きになったのは明け方近くで、酔っ払いたちが路上で大声で別れの挨拶《あいさつ》をかわす。

清居があの俳優とさりげなく消えていくのを、平良は妙に冴えた目で見送った。ふたりでどこへ行くのか、どんな時間をすごすのか、考えない。考えても痛いだけだ。同じ空間にいられただけでもラッキーだった。そう思うのがいい。

始発まで時間があるので、どこかで時間をつぶそうと歩き出したとき。

「帰んの？」

平良はびくりと振り返った。

「……あ」

俳優と消えたはずの清居が立っていた。

「帰んの？」

もう一度聞かれた。いきなりすぎて固まっていると、清居は小さく舌打ちをした。

「俺は始発待ちするけど、くる?」

面倒そうに問われ、平良はぶんぶんと大きくうなずいた。


コーヒーをはさんで、清居と向かい合っていることが信じられなかった。二十四時間営業のカフェには、疲れたバイトと始発待ちの客たちのけだるい空気が充満している。

「さっきの人と帰ったのかと思った」

「入間さん?」

「こ、恋人だって聞いたから」

「なんだよ、それ」

「あ、えっと、打ち上げで隣の席に座ってた人たちが話してて」

「ほんと、噂好きな連中が多い業界だよな」

清居は鼻で笑ったあと、ないね、と言った。

「恋人じゃないの?」

「ない」

簡単な言い方にホッとした。自分の手が届くわけでもないのに——。

「あ……、モデルしてると思ってたから、いきなり俳優になってて驚いた」

「そんなちゃんとしたもんじゃないけどな」

仕事のメインはモデルで、ＣＭやテレビドラマのちょい役にたまに出る程度らしい。以前たまたまチケットをもらった舞台が意外とおもしろく、それ以来、知り合いの劇団の稽古《けいこ》に参加したり、ちょい役で舞台にも立つようになったが、事務所を通していないのであまり派手な活動はできないのだという。

「それに、一応まだ学生だしな」

「将来は俳優になるの？」

「決めてない。そういうの考えるための大学四年だろ」

「そうなんだ。高校のときから仕事してるからもう決めてるのかと思ってた」

そう言うと、清居は「決められるかよ」とあきれた顔をした。

「仕事は一生のことだし、十九でそんな簡単に役者で食ってくとか口にするやつのほうが、酔ってる感じでうさんくせーわ。毎月決まった給料もらえる会社員じゃないし、下手にこじらせたら人生棒に振る覚悟が必要だし」

清居の言うことはよくわかる。冷めているわけではない。自分たちは、五ミリの隙間には五ミリのものしか入らないと、幼いころから見せつけられて育った世代だ。夢を見るということは、五ミリの隙間に一センチのものを入れたいと願うことで、そういうとき、成功のビジョンよりはじき出されたときのことを考えてしまう世代でもある。

「うん、小さいころからの夢でも、いざとなると色々考えるね」

「夢？」

問い返し、清居はテーブルに頬杖をついた。

「そんな大げさなもんじゃないって。まあ子供のころは色々あったけど……」

清居は頬杖をついたまま、ごまかすようにコーヒーを飲んだ。

色々あったけど、とにごされた部分に清居の心がちらりと見えたように感じた。

——俺は父親似だし。

昔、清居がぽつりとこぼしたことがある。鍵っ子で、いつもひとりの家の中で、にぎやかなテレビの中に入りたいと願っていた子供のころの話。アイドルになりたいと書かれた小学校の文集。母親が再婚して、新しい父親と半分血のつながった弟と妹ができても、子供たちの中で清居だけが誰にも似ていない。そういう様々な『色々』。

テーブルに頬杖をつき、清居はアルコールでゆるんだ視線を店内に投げている。

大人になったら子供のころの痛みは忘れたり薄れたりするものと思われがちだけど、平良はそうは思わない。もちろん忘れてしまったこともあるけれど、初めてクラスメイトの前で吃音が出たときの、みんなのぽかんとした顔は今でも覚えているし、そのときの泣きたい気持ちも忘れていない。もちろん、楽しかったことも少ないけれど覚えている。

そういうものが積み重なって、今の自分がここにいる。三つ子の魂百までと言うけれど、一生持って歩くバッグの中身は、意外と子供のころから入っているものが多い。誰とも交換できないし、誰にも持ってもらえない。ずっと自分で持ち歩くのだ。死ぬまで。

清居のバッグの中には、なにが入っているんだろう。

ぼんやり見ていると、清居がふとこちらを向いた。

「そんな見んなよ」

「ごめん」

平良は慌てて視線を外した。

「相変わらずきもいね、おまえ」

「ごめん」

「別にいいけど」

ちらっと見ると、表情が怒っていないので安堵《あんど》した。

「おまえのほうは？」

「俺？」

「大学、どう？」

「あ、うん、まあまあ」

曖昧《あいまい》な言い方になった。大学生活はごく普通にすぎている。サークルの活動も変わらず続けていて、小山とも相変わらずだ。時間がほしいと言われてから一ヶ月ほど経ったが、小山からはなんのアクションもない。つきあいは変わりなく続いている。

小山はなんとなく変わった。トランプタワーに挑戦するみたいに、いつも気を張っているのが伝わってくる。なにか話していて、平良と意見が食い違いそうなとき、小山は口を閉ざすようになった。やたら気を遣ったり、逆になんでもないところで突っかかってきたり、すぐに謝られたり、不安定で、どうしていいのかわからないときがある。

こんな風になるとは思わなかった。自分もしんどいが、よりつらいのは小山のほうだと思う。もう一度話をして、きちんと距離を取ったほうがいい。喧嘩《けんか》になるかもしれない。責められるかもしれない。想像すると憂鬱《ゆううつ》になるが、ほとんど自業自得なのでしかたない。

「なに溜息ついてんだよ」

えっと平良は顔を上げた。

「まさか大学でもパシらされてんの？」

「そ、それはないよ。サークルの友達とかみんないいやつだし」

「じゃあ、なんの溜息だよ」

さらにツッコまれ、平良は考えながら口を開いた。

「大学は楽しいよ。子供のときから俺は友達がいなかったから、今の友達はみんな吃音のこと理解してくれてて。でも友達ができるってことは人とかかわるってことで、それはすごく大変なんだなって最近わかってきた、でも総合としては楽しいし……」

「もっと具体的に言えよ」

「……えっと」

今の状況をコンパクトに、過不足なくどう伝えればいいのか。舌の動きがぎこちなくなっていく。考えを言葉にするのは立派な技術だと思う。技術には習練が必要だ。

「好意をよせられるのは嬉しいけど、しんどいことでもあるな……とか」

なんとかまとめると、奇妙な沈黙が生まれた。

「ふうん、なるほどな」

清居が椅子《いす》に深くもたれて足を組んだ。

「要はあれか。愛されちゃって困るのーってやつ。小山さんの弟」

「そ、そんなんじゃないよ」

思わず強い声が出た。清居が目を見開く。

「あ、ごめん。でも……小山はすごくいいやつなんだ。サークルの自己紹介で緊張して言葉が詰まったとき、俺の代わりにみんなに吃音の説明してくれて、小山のお兄さんも子供のころ吃音持ってて、大変だよねって変な同情じゃなくて自然で、優しいし、さっぱりしてるし」

そうだ。小山は元々そういうやつだった。一緒にいて楽しいと思える初めての友人だったのに、自分が半端をしたせいでこじれている。自己嫌悪にうつむいていると、

「そんないいやつなら、つきあえば？」

突き放すような言い方に、はっと視線を上げた。

「一時期つきあいかけたって言ってただろ。だったらそのままつきあえばよかったじゃん。おまえみたいなの好きになってくれるやつなんて、もう現れないかもしれないぞ」

いらだった口調で言うと、清居は鞄《かばん》から薄い本を取り出した。ページをめくっていく手つきが乱暴で、平良はなぜ急に清居が怒りだしたのかわからなかった。

「あの、なにか怒ってる？」

恐る恐る話しかけた。

「なんも怒ってねえよ」

とひどく怒った顔で言われた。これ以上追及する勇気はない。

「……それ、台本？」

話題を変えてみた。

「まあな」

「次の舞台？」

「まあな」

そっけないにもほどがある。しかしここは勇気を出す場面だった。

「観に行ってもいい？」

問うと、上目づかいでにらまれた。

「いちいち確認取んなよ。きたいなら勝手にくればいいだろう」

「あ、ありがとう」

思わず礼を言ってしまった。ひどく不機嫌な言い方だったけれど、一度は閉じられた門を再び開いてもらえた。これで恥ずかしい変装をしなくてすむ。

「舞台はいつ？」

「十二月。今日のとこで」

「毎日ネット検索してるのに知らなかった。見落としたのかな」

「検索？」

怪訝な顔をされ、あっと気づいた。ネット検索、それも毎日されているなんて、本人にしたら気持ち悪いの極致じゃないか。なにか言い訳をしなくてはいけない。

——雑誌とか舞台とか、清居が出てるのは全部目を通したくて。

だめだ、余計、気持ち悪い。どうしようと焦っていると、

「事務所通してないプライベートだから、あんま大々的に宣伝できないんだよ」

清居はさらっと流してくれた。

ああ、よかった。でもまだ心臓がどきどきしている。調子に乗って余計なことを言わないよう、気を引き締めないといけない。

「そ、そうなんだ。色々あるんだね」

「まあな。事務所通してないと稽古場確保するのも大変だし」

「稽古場？」

「今は実家出て一人で暮らしてるんだけど、ワンルームの壁なんてどこも薄いんだよ。こないだセリフ練習してたら、次の日、速攻で管理会社から苦情出てるって連絡きたし」

清居はらしくない溜息をついた。

「稽古はやっぱりちゃんとした施設じゃないとだめなの？」

「いや、近所迷惑にさえならなかったらどこでもいい」

「だったら、なんとかなるかもしれない」

先日叔父一家が遊びにきて、仕事の関係で何年か台湾《たいわん》に行くことになったとぼやいていたことを思い出した。海外赴任はともかく、その間、自宅をどうするか困っていた。誰も住まないと家は傷む。ふたりいる娘は結婚して新居を構えているので無理らしい。誰かに貸せばいいのだが、他人に入られるのは叔母が嫌なのだという。

『家賃は取らないから、カズくん、管理がてらうちでひとり暮らししない？』

叔母から問われたが、自炊も掃除もできないから無理ですよと母親が笑っていた。

「結構広い庭付きの一軒家で、従姉妹《いとこ》がふたりともピアノ習ってたから確か防音室もあったと思う。帰ったらすぐに叔母さんに話してみるよ」

勢い込んで話す中、清居がなんともいえない顔をしているのに気づいた。

「あ、ごめん、勝手に盛り上がって」

「いや、話自体はありがたいけど……」

また調子に乗りすぎたんだろうか。しつこい、やっぱりもうつきまとうなと言われることに怯《おび》えていると、清居はしかめっ面で、別になんでもない、と濁してしまった。なんでもないという顔ではないけれど——。

「その家、まじで使えそうなの？」

「多分。叔母さん、かなり困ってたから」

平良は急いで新しい携帯番号とアドレスを書いて渡した。

「準備しておくから、必要になったらいつでも連絡してほしい」

しかし清居は渡したメモを怖い顔でにらみつけている。

「……前と番号違うよな」

「前のは水に濡《ぬ》れてデータが飛んだんだ」

「水没なら機種だけ変えればいいだろ」

「……それは」

清居から決別を言い渡されて、やけっぱちで清居につながるものすべてを断ち切ろうと決意した。けれどそうは言いづらかった。決意したのは嘘ではないが、結局、毎日ネットで清居を検索しているし、清居が出ている雑誌は買い占めているし、変装してまで舞台を観にいっている。やっていることだけならストーカーで、断ち切るが聞いてあきれる。

答えられずにうつむいていると、清居が携帯を取り出し、メモを見ながら平良の番号を打ち込みはじめた。次の瞬間、ポケットで携帯が震え、すぐにやんだ。

「それ、俺のな。データ飛んだんだろう」

「あ、ありがとう……っ」

嬉しすぎて声が上ずった。携帯の画面に浮かぶ十一桁《けた》の数字。一度は失ったそれを信じられない気持ちで見つめていると、なんだよ、と問われた。

「また連絡先を交換できる日がくるなんて、夢みたいだから」

素直な気持ちだったが、清居はむっと顔をしかめた。

「相変わらず、きも」

懐かしいフレーズにまた歓びが湧き上がる。にこにこしていると、今度は、うざ、と言われた。永遠にこのやり取りをしていたいくらいなのに、店内がふいにざわつきはじめた。いつの間にか始発の時間になっていて、客が帰り支度をはじめている。

「おまえ、これからどうすんの」

店を出て、明け方の街を並んで歩いていると清居が言った。

「電車で帰るよ。清居はなに線？」

「じゃなくて……」

清居が珍しく言い淀《よど》んだ。

「さっきの続きだけど、小山さんの弟とつきあうの？」

「……へ？」

いきなり話が飛んだ。戸惑う平良を、清居がじっと見ている。つきあうことはないけれど、そういうことを雑談の延長で話すのはためらわれた。自分が小山だったら嫌だと思う。

「わからない」

「わからないってことは、つきあう可能性もあるってこと？」

なぜか怒ったように問われた。

「いや、だからわからない。なんでそんなこと気にするの？」

「……なんでって」

清居はチッと舌打ちをした。

「もういい。俺は気になんかしてないし、どうぞ勝手につきあってくれ」

「え、ちょっと待って、なんでそんな——」

しかし清居はもう話したくないというように、ぐんと歩くのを速めた。

清居の後ろを歩きながら、平良は途方に暮れた。久しぶりに話ができたのに、それも清居のほうから声をかけてくれたのに、なんだかおかしなことになってしまった。清居がなぜ怒っているのかわからなくて、そういう自分の間抜けぶりが情けない。

駅が見えてきたころ、清居がふいに振り返った。

「そいつと、俺と、どっちが好きなんだよ」

唐突すぎて、平良はぽかんとした。

「は？」

間抜け面で問い返すと、清居がすごい顔をした。

二歩で距離を詰められ、次の瞬間、脛《すね》をけっ飛ばされて激痛が走った。

思わずしゃがみこみ、顔を上げると清居はもう駅へ歩きだしていた。完全に怒っている後ろ姿に、平良は声をかけることもできなかった。清居の姿が駅の構内に消えていく。ずきずき痛む脛を抱えながら、なんで蹴られたのかわからなくて泣きたくなった。

──そいつと、俺と、どっちが好きなんだよ。

なんなんだ、それ、全然わかんないよとくしゃりと顔が歪む。

清居への気持ちと、小山への気持ちは種類が違う。清居から与えられるものに良いも悪いもない。良いことが巡ってくれば嬉しいし、悪いことが巡ってきたときは悲しい。嬉しいからこうしようとか、悲しいからこうしようという発想がそもそもない。自分の意志や努力ではどうしようもない突然の嵐みたいなもの。清居はそういう存在だ。

小山は現実で生身の人間だ。少し前、自分は現実を見ようとしていた。小山の誕生日にプレゼントをして、告白もして、自分を工場の既製品みたいに感じながらも、そのベルトコンベアに乗ろうと思っていた。それは少しさびしく、けれど安心できるやり方だった。

なのに、再び現れた清居に、現実は簡単に吹き飛ばされてしまった。

自分はこの先もずっと、清居を追いかけるんだろうか。

差し出された手を拒んで？

どれだけ追いかけても手が届くはずないのに？

川を流れていくアヒル隊長のイメージが浮かぶ。昔から平良を支えてくれたアヒル隊長。思い出すのは久しぶりで、ひどく懐かしい気持ちになる。でも昔とは違う。アヒル隊長が流れていく川は汚水ではなく、金色のとても美しい川だ。清居が支配する輝く王国の川を、栄誉ある王さま専用のアヒル隊長が一匹だけで流れていく。

おかしなイメージに、思わず笑いがこぼれた。

さびしい。しんどい。なのにしかたないと受け入れている自分がいる。

清居は自分のものにはならない。でも平良を手放してもくれない。自分はキングのお手がついた栄誉あるおもちゃの宿命として、使われなくなっても誰にも譲り渡されることはない。それでいい。どれだけしんどかろうが、さびしかろうが、自分は手放されたくない。

――俺は、ずっと、清居のものでいたい。

脛はまだずきずきと痛んでいる。路上にしゃがんだまま、ビルの窓一面に反射するオレンジの朝陽を眺めていると、ポケットの中で携帯が震えた。清居かと思ったが、画面には小山の名前が出ていた。思わず肩が落ち、それはすぐに罪悪感とすり替わった。

こんな早い時間になんだろう。なんとなくためらっている間に切れてしまい、けれどすぐまたかかってくる。微弱な振動に追い詰められ、通話ボタンを押した。

「……もしもし」

恐る恐る出てみると、返ってきたのは咳《せき》だった。

「小山？」

『ご、ごめん、こんな早い時間に。なんか風邪ひいたみたいで』

そういう間にもゴホゴホと咳《せ》きこんでいる。

『寝たらマシになるかなって思ってたら、どんどん熱上がってきちゃって』

「薬は飲んだのか？　なにか食った？」

『薬は昨日飲み切っちゃって、ご飯は食べてない。冷蔵庫からっぽで……』

きてほしがってるのが伝わってくる。

「お兄さんは？」

『電話したら、出張で九州《きゅうしゅう》行ってるって』

どうすればいいのか迷った。もうずっと小山の部屋には行っていない。行ってはいけないと思っていた。しかし病人を突き放すことはできなかった。

「今から行くよ。薬と、飲み物と、あとレトルトのお粥《かゆ》やプリンとかでいい？」

『ありがとう。迷惑かけてごめん』

小山のトーンがわずかに上がった。

「いいよ。買ったものは部屋のドアにかけとくから」

沈黙が落ちた。

『……なんで？』

小山がつぶやいた。ゴホンとひとつ咳がはさまれる。

『俺、平良を困らせるようなことなにも言ってないだろう。つきあってほしいとか言ってないのに、なんでそんな離れよう離れようってするんだよ』

苦しそうな息遣いに、もうなにも言えなくなる。

『なあ、なんでだよ。友達でいいって言ってるのに』

「……ごめん。でもそんなの無理だろう」

『全然無理じゃないよ』

「俺が無理なんだ。おまえも無理だよ。小山、今、泣いてるだろう？」

『泣いてないよ』

そう答える声がわずかに歪《ゆが》んでいる。申し訳なさの裏で、ほんの少しのわずらわしさが生まれる。そういう自分に罪悪感を覚える。色んな感情がごっちゃになって、わかったよ、嘘だよ、今まで通りでいいよとその場しのぎを言ってしまいたくなる。そう言うほうが百倍楽だ。みんな悪者になりたくないのだから。

清居は強いんだなと改めて思った。誰にどう思われようが、状況が自分に優勢でも、劣勢でも、変わらず堂々と顔を上げ続けていた。そういう強さに死ぬほど憧れる。

『……なんか車の音する。平良、外？』

「うん、ちょっと遊んでて」

『徹夜って珍しいね。誰と会ってたの？』

サークルの集まり以外で、平良が徹夜で遊ぶことなどないことを小山は知っている。

『清居くん？』

「…………」

『どうせ相手にされないよ』

捨て鉢な、小山らしくない言い方だった。

『清居くん、兄さんに平良のことめちゃくちゃ言ったらしいよ。友達いなくてストーカーみたいな気持ち悪いやつだって。そういうこと平気で言うやつなんだよ』

聞きたくなかった。だって言われた自分より、言っている小山のほうが傷ついている。

「いいよ。実際、俺はそういうやつだし」

『実際とか関係ない。陰口言うやつが最低なんだよ』

「清居は面と向かっても言うよ。きもいとかうざいとかストーカーとか」

高校のときから、何回言われただろう。

『……なんだよ、それ』

小山の声が薄いガラスみたいに割れた。ぱりぱりと連続で音がする。

『俺、すごい嫌なやつじゃないか』

「そんなことない。小山はいいやつだよ。俺は知ってるから」

それだけはきちんと言った。

『……ごめん、平良、俺、こんなこと言うつもりじゃなくて』

「うん、わかってる」

怒る気にはなれない。だめだとわかっているのに追いかけたり、そういう自分に自己嫌悪を感じるところが自分たちはよく似ている。

小山はごめんと謝り続ける。いいよと自分は答え続ける。

同じところをぐるぐる回っているだけで、どこにも行けない。

蹴られた脛が痛い。ずきずきと疼《うず》く。けれど清居がくれたものだから手放せなくて、膝を抱えたまま、どんどん明けていく世界の中でいつまでも立ち上がれないでいる。

あまくて、にがい

そいつと俺とどっちが好きなんだ、と聞いたあと。

――は？

あのときの平良《ひら》の顔が忘れられない。

ぽかんと口を開けた馬鹿面で、訳すると「おまえ、なに言ってんの？」の「は？」だ。火花がはじけるような恥ずかしさと怒りが湧き上がり、平良を思い切り蹴とばした。

あんな男からの連絡をずっと待っていたなんて、自分にも猛烈に腹が立った。あの男がなにを考えているのか、昔も今も、清居《きよい》にはさっぱりわからない。


平良を初めて知ったのは、高二のクラス替え初日だった。

「ひ、ひ、ひ、ひ、ひ」と真っ赤な顔で詰まりまくっている平良を見たとき、終わってるなと一秒で価値なしのジャッジを下した。

奴隷としては、なかなかよくできたやつだった。素直にパシリをやり、嬉しそうな顔すらする。しかし長めの前髪の隙間からじっとこちらを見ている様子は、激しく気持ち悪かった。

一方で、いい気分でもあった。

平良は最初から自分しか見ていなかった。

その気味悪いほどの強さが、単純に気持ちよかった。

両親が離婚後、清居は鍵っ子になった。母親は働きに出ているし、誰もいない家に帰るのはつまらなくて、いつも友達と遅くまで遊んでいた。でも夕飯の時間になるとみんな帰ってしまう。さっきまではしゃいでいた分、帰り道はさびしかった。ランドセルの小さなポケットから鍵を出して、ただいまも言わずに家に入る。

2DKのアパートで、両隣には家族連れが住んでいて、壁越しに母親の怒る声や子供の声がもれてくる。それを消すためにテレビをつけた。一度つけたら絶対消さなかった。台所のテーブルにはラップのかかった皿があって、毎晩、それをチンしてテレビを観ながら食べた。風呂に入るときは音量を上げた。シャンプーのとき静かだと怖いからだ。

テレビは好きだった。小さな箱の中にたくさんの人が入っていて、みんな笑っている。楽しそうで、自分もあの中に入れたらいいのにと思っていた。

母親が帰ってくるのは出勤時間によってまちまちだったが、夜勤のとき、母親は帰ってくるとまずはテレビを消した。ふっとやってくる静けさに反応して、清居は目覚めた。ねぼけた目をこすりながら、おかえりと台所に行く。ただいまと小さな声が返ってくる。

「お母さん、ご飯食べる?」

「いいよ、お母さん、自分でやるから」

「いい、ご飯よそってやる」

真夜中からはじまる母親の夕飯に、ご飯をよそうのが清居の役目だった。眠いけれど、少しでも母親とすごしたかったのだ。

清居が小三になったとき、母親が再婚をした。新しい父親は優しかった。アパートを出て引っ越したのは広い一軒家で、母親は毎日家にいる。ただいまと帰ったら、おかえりと迎えてくれる。もう友達と遅くまで遊ぶこともなくなって、テレビを観る時間も減った。それよりも夕飯を食べながら、父親や母親に今日あったことを話すほうが楽しかった。

けれどほどなく新しい父親との間に弟ができて、母親はそちらにかかりきりになった。父親は優しい人だったけれど、やはり実の子に対する態度とは微妙に違う。翌年は妹ができ、家族が増えたのに清居は今までよりさびしくなった。

——俺にもかまえよ。

そう言いたいのに、口には出せなかった。広いリビングのソファで、弟や妹をあやしている両親の横で、清居はぶすっと再びテレビを見るようになった。赤ん坊なんてちっともかわいくない。うるさいし、汚すし、母親を独占する。あんなのいなくなればいいのに。

アイドルのコンサート中継を観たのはそのころだ。テレビの中で歌って踊るアイドルと、自分の全てを捧げるみたいに手を伸ばして狂喜するファン。顔を真っ赤にして、届くはずがないのに必死に手を伸ばし、中には泣いている女の人までいた。

大人も泣くんだ……と、その熱狂ぶりはちょっと引いてしまうほどだった。

なんだか怖いなと思いながらも、あんな風に求められたら嬉しいだろうとも思った。

自分の目線ひとつ、手の振りひとつで一喜一憂する誰かがいる。それは理屈抜きに『いい気分』だろう。虫みたいな赤ん坊にかかりきりの両親を横目にそう感じ、その年のクラス文集に『大人になったらアイドルになりたい』と書いた。

平良は典型的なファン体質の男で、それも重症の部類だった。

清居がクラスを好き勝手にしめていたときも、くだらない妬《ねた》みで嫌がらせをされていたときも、平良だけは変わらなかった。あのおとなしい男が城田《しろた》に殴りかかったとき、宗教にハマるやつってこんな感じなんだろうかと怖くなると同時に、自分のために目を血走らせている男の姿に、昔観たアイドルに手を伸ばすファンのぶっ飛んだ表情を思い出した。

子供のころ強烈に求めたものを、完璧な形で差し出してきたのが平良だった。

あの事件を境に、平良は清居の中で印象を変えた。

ふたりきりの音楽室や放課後の教室で、平良は一眼レフを構えて自分を撮った。清居をキングと言い、最後の一兵卒になっても守るとかアイタタなことを言っていた。こいつの脳内はどうなっているんだとドン引きしつつ、神を崇《あが》めるような目で見られるのは快感だった。

三年になってクラスがわかれても、廊下ですれ違うとき、平良の視線を感じるといい気分になれた。あいつは自分だけを欲している。もっと見ろ。俺を見ろ。まっすぐで強い平良の視線は、いつの間にか清居の深い部分にまで食い込んでいた。

――高校を卒業しても、会ってやってもいい。

卒業式の日、それを伝えようと思ったが、いざ平良を前にすると言えなかった。元々そういうことを口に出すのが苦手な性格で、しかも相手は平良だ。どうして自分からそんなことを言ってやらねばいけないのか。平良のほうからお願いしてくるのが筋だろう。

――俺になにか言うことないの？

こっちから水を向けてやったのに、それでも言わない。

グズな男にいらいらして、その勢いでキスまでしてやった。

あのときは自分でも驚いた。平良にキスをしたという事実だけでもパニックになりそうだったのに、ファーストキスだったのだ。女ではないから大層な夢などまったく持っていなかったが、それでも、この先なにかの折に思い出すであろう初めてのキスが平良だという事実は清居を絶望させた。あれが自分の……という後悔に襲われてももう取り返しがつかない。

しかしこれだけしてやったらわかるだろう。わからずとも、卒業ごときで平良が自分を追うのをやめるとは思えなかった。ストーカーみたいにしつこく追い回してくると信じていた。

だからずっと、当たり前のように平良からの連絡を待っていたのだ。

なのになんの音沙汰《おとさた》もない。同じ東京にいるのにそのまま一ヶ月がすぎ、待ちきれず自分からメールをすると宛先不明で戻ってきた。アドレスを変えたのかとムカついた勢いで電話をすれば、現在使われていませんとアナウンスが流れた。

ショックで茫然《ぼうぜん》とした。連絡がなくても、こっちからかければすぐにつながるという安心感があった。それが連絡手段が断たれた途端、切羽詰まった焦りがこみ上げてきた。それはやがてじわじわと怒りに変わっていった。

あんな唯一無二みたいな目で自分を見つめていたくせに。

だからこそ、あんな冴えない男に会ってやってもいいと思ったのに。

同級生に聞けば連絡先はわかるかもしれない。でもそこまでするのはプライドが許さなかった。追うのはいつも平良の役割で、自分はそれを受け止めるだけだった。だから少しショックを受けているだけで、別にそれほど会いたかったわけじゃない。

そう思っても、平良への怒りはおさまらなかった。忘れたい気持ちとは裏腹に、どこかで偶然会っても絶対に無視してやろう、いや、めちゃくちゃに罵《ののし》ってやろうと、街を歩いていてもいつも平良に似た男を探すようになった。

平良のことをのぞけば、生活は順調だった。大学に通いながら芸能事務所に所属して、モデル八割、テレビ二割くらいで仕事を振ってもらっている。アイドルになりたいとはもう思っていないが、人から見られたい、求められたいという欲求は変わらず心にこびりついていて、そういう意味でこの仕事はうってつけだった。街を歩いていても視線を感じるし、もっとダイレクトなのは舞台だ。何百もの目が一斉に自分を見つめる。あれはハマる。

なのに、心のどこかで物足りなさを感じていた。もっと熱があって、もっと全身全霊で、捨て身の愛情を感じられる目を自分はすでに知っている。

そういう自分にいらいらした。平良は自分を切ったのだ。そんな男にもう一度会いたいのか。もう二度と会いたくないのか、自分がどうしたいのかわからない。

そんなとき、思いもよらぬルートから平良の近況を知った。知り合いの劇団の飲み会に参加したとき、ライターの佐藤《さとう》という男と裏方の小山《こやま》という男の会話が耳に入ってきた。

「へえ、弟、ついに彼氏できたのか。よかったじゃん」

「さらっと彼氏とか言うな。男だぞ。男。男同士」

「この業界、別に珍しくねえしなあ」

「そうだけど……自分の弟がと思うと複雑なんだよ」

溜息《ためいき》をつく小山に、まあそうだろうなと清居も内心で同意した。

他人の話なら冷静に聞けても、身内から同性愛者だと告白されたら大方の人間は戸惑う。あとは属する世界でも感覚の差があって、清居も仕事方面ではゲイであることをかくさないが、大学や家ではバレないよう気を遣っている。

中学生のころから、清居にはうっすらとした自覚があった。テレビを観ていても女よりも男のタレントや俳優に興味を惹かれるほうが多かった。見た目に恵まれたおかげで女には死ぬほどモテたし、それが余計に自分の性質を強く自覚させたように思う。

平良はどうだったんだろう。

清居だけが特別で、それ以外は男も女も同じだと言っていた。まだ高校生で、身近で自分と同種かそれに近い男と出会ったのも初めてなら、自分を恋愛の対象にする男に会ったのも初めてだった。自分を使って自慰までしたと聞いたときはさすがに引いたけど、

――こいつ、俺とやりたいのか？

想像すると、十代の男なら当然の単純な興奮が湧き上がった。

あれは多分、ちょっとした好奇心がきっかけだった。試すみたいに自分から平良に手を差し出すと、平良はひざまずき、うっとりと自分の手にくちづけた。その姿は、やはり清居をたまらなく『いい気分』にさせた。見下ろす側と見下ろされる側。立ち位置は違っても、あのとき自分たちは似たような感覚の中にいたと思う。

だからすっかり安心していた。平良は自分に夢中だから、勝手に犬みたいに追いかけてくると信じていた。自分がうぬぼれ屋だとは思わない。あんなに好きだ好きだと言われ続けて、いい気にならないやつがいたらお目にかかりたい。

結果から言えば恥ずかしすぎる勘違いだったわけだが、余波は今も続いている。

現在、清居の恋愛方面は絶賛停滞中だ。芸能界という場所柄、女だけでなく結構な率で男からも口説かれる。中にはそこそこ有名な役者やモデルもいて、それなりに好感を持った男とふたりきりで会っても、口説きが佳境に入るとなぜか平良のあの目がよぎる。目の前の男と、平

良のあの目を比べてしまう。そして気持ちが盛り下がり、キスひとつせず終わる。

一体なんなんだ。

どこまで忌々《いまいま》しい男なんだ。

この調子で自分は恋もせず、平良とのファーストキスを更新できないまま成人するのか。この俺がなぜそんな目に遭わなければいけないのか。最悪すぎる。それが全部平良のせいに思えて、怒りは消えるどころか増すばかりだった。

「彼氏、平良とか言ったかなあ。大学の同級生で、俺と同じ吃音持ちなんだって」

鬱々《うつうつ》と考える中、いきなり飛び出したその名前に清居は我に返った。

思わずそちらを見てしまい、小山と佐藤が話すのを止めた。

「ああ、悪い。清居くん、こういう話だめな人?」

「いや、そうじゃなくて——」

平良? 吃音? それは自分の知っている平良のことだろうか。

「俺もそっちなんで、ちょっと気になっちゃって」

「そっち?」

「あー……、俺も女だめなんで」

ふたりはわずかに目を見開いた。

「ああ、そうなんだ。ごめん、こんな話して無神経だったね」

「気にしないでください。俺も家族にはカミングアウトしてないから、身内の反応って正直気になるところなんですよ。弟さん、誰かとつきあってるんですか?」

さりげなく問うと、ふたりはこちらに席をよせてきた。

「清居くん、いくつだっけ」

「十九です」

「うちの弟と同じだ」

小山はすがるような目を向けてきた。

「相手の男も同い年でさ、やっぱ十九くらいって夢中になるよな?」

「さあ、相手によると思うけど」

「お互い初めて同士みたいなんだよ。弟はいいやつだって言うんだけど俺は心配でさ」

「おまえは過保護なんだよ。相手の男まあまあカッコいいんだろう。あきらめろ」

恰好いい? だったら平良ではない。

「写メとかないんですか」

水を向けると、小山は「あるある」と携帯を取り出した。

「教えろってしつこく言って写真転送させたんだよ。ああ、これこれ」

胸のざわつきをおさえて画面をのぞき込んだ。まさか平良ではないだろう。そんな偶然があってたまるかという気持ちで——。しかしそこに写っているのはまぎれもなく平良で、清居は固まった。隣に小山と面差しの似た男が写っている。

「こっちが俺の弟で、隣がその彼氏」

清居は食い入るように画面を見た。ありふれた居酒屋を背景にして、仲良く並んでいる平良と小山の弟。平良は笑っている。そのことがまず信じられなかった。高校時代、清居に向けては小さく笑うときもあったが、それ以外では表情に乏しく暗かった。

それになんだ、この隣の地味な男は。きもうざの平良とはお似合いだが、この男のせいで自分との連絡を絶ったのかと思うと納得できなかった。自分のどこがこの男に劣るんだ。

「まあ、年齢の割に味があるのは認めるよ」

小山が言い、「は？」と清居は怪訝な顔をした。

「相手の男。流行りのイケメンじゃないけど独特の雰囲気があるっていうか。こういうのは俳優顔っていうんだよ。ぼうっとしてるけど、本気出すとガラッと変わるというか」

おまえに平良のなにがわかる。反射的にこみ上げた腹立ちを、清居は慌てて呑み込んだ。

「ちょっと褒めすぎじゃないですかね」

不愉快さが顔に出ないよう、なんとか平静を装った。小山はそうかなあと反対隣の看板女優に「ねえ、この左側の男の子どう思う？」と携帯を見せた。

「あ、いい顔してるじゃない。服とか髪型ださださだけど目に迫力ある。こういう顔した子って役に入った途端化けるのよね。なに、入団希望？」

「どれどれ、あー、ほんとだ。いいね。ださいのもそれはそれで雰囲気になってる」

　みんなの話を聞きながら、勢いを増すばかりの怒りを必死でこらえていた。舞台関係の人間ばかりなので、視点が普通とは違うのだ。そいつはただのきもうざだ。

「おまえ、弟の心配してんのか、彼氏自慢してんのかどっちだよ」

　佐藤のツッコミに、小山があっという顔をした。兄として複雑な心境なんだとぼやくのを聞きながら、清居は自分でも思いがけないことを言っていた。

「一回会ってみたらどうですか」

「え？」

「来月、研修生の舞台やるじゃないですか。それに弟と一緒に呼んだらいいんじゃないですかね。想像で悩んでるより、直で会ってみたらすっきりするし」

　まるで自分に言っているように思えた。

　もう一度会いたい。

　もう二度と会いたくない。

　真逆の気持ちの真ん中でずっといらいらしていたが、今夜、気持ちの針ははっきり会いたい方向にかたむいた。平良に会いたい。会ってめちゃくちゃに痛めつけてやりたい。以前のどこか甘みのまじった微妙な気持ちとは違う。はっきりとした悪意だった。

　公演の日、自分を見て平良はひどく驚いていた。同じテーブルにいる野暮ったいのが小山の弟だろう。写メではただの地味な男だったが、実際は少し印象が違った。地味なのは変わらないが、小動物系のかわいさみたいなものがあって、自分とはまったくタイプが違う。

舞台のあと、関係者と話しながらさりげなく平良の様子をうかがうが、平良はけっして自分のほうを見ようとはしなかった。相当バツが悪いらしい。そりゃあそうだろうと心の中で吐き捨て、向こうから話しかけてくるのを待った。

しかし平良は一向にやってくる気配がなく、次第に清居は焦ってきた。もしやこのまま帰ってしまうつもりか。それは困る。なんのためにわざわざ呼んだと思ってるんだ。こっちから話しかけるか。いや、それは負けだ。焦りまくる中、ようやく声がかかった。よし、とほとんど喧嘩腰で近づいていったのだが、平良はうつむいてばかりで清居を見ようとしない。

「清居くん、こっちの子、清居くんのファンだって」

佐藤の言葉に驚いた。平良は自分のことを話していたのか。ファンという控えめな言葉。しかし『いい気分』になどならない。隣にいる小山の弟の、平良を見守るような目がカップル然としていて気に入らない。まるで平良のすべてを知っているかのような——。

「よう、久しぶり」

声をかけると、平良は恐る恐るという感じで顔を上げた。

ようやく目が合った瞬間、平良の目がぐんと温度を上げるのがわかって戸惑った。目元をうっすら赤く染めて自分を見つめる平良の目は、昔と同じ熱っぽさだった。混乱した。そんな目で見るくせに、平良には恋人がいるのだ。

このままでは終われなくて打ち上げに誘うと、平良は即うなずいた。隣で小山の弟がえっという顔で平良を見たが、平良の目は自分に釘付けで、瞬間、勝ったと思った。

色々あったのかもしれないが、やっぱり平良は自分を好きなままだ。

小山の弟には悪いが、あきらめてもらうしかない。

打ち上げではどういじめてやろう。話しかけるにしても、これだけ自分をやきもきさせたのだから、すぐには許してやりたくない。小山の弟もくるかもしれないし、だったら今夜は連絡先だけを交換しておくか。トイレに立ったときにでもさりげなく――。

いい気分でシミュレーションしていたのに、平良はやっぱり打ち上げには行けないと言いにきた。このまま帰ったら、また連絡先がわからないじゃないか。しかしそんなことが言えるはずもなく、そっけない態度で終わらせてしまい、怒りに似た後悔に襲われた。

そのあと、小山から今日は弟の誕生日だからと聞いたときの敗北感はすさまじかった。平良は自分との再会よりも、あの地味男の誕生日を優先したのだ。

「清居くん、同級生なら同級生って言ってよ。人が悪いよ」

打ち上げでは小山にぼやかれた。

「すいません。小山さんがあんまり心配してたんでちょっとからかいたくなって」

傷ついている自分を認めたくなくて、にやにやと笑いながら答えた。

「勘弁してよー。ねえ、それより平良くんって高校時代どんなんだったの」

「どんなって」

「色々あるだろ。面倒見がいいとか頭がよかったとか友人が多かったとか」

「頭はよくねえだろ。あの大学いってんだから」

佐藤が横から茶々を入れ、「俺の弟までディスるな」と小山に頭をはたかれた。

「じゃあ頭はいいや。面倒見がいいとか友人が多かったとか、なにか美点は？」

「特にないですね」

嘘はついていない。正直な事実に小山は顔をしかめた。

「彼氏とかいたのかな？」

「片思いのやつはいたみたいです」

俺だよ、俺、と心の中でつけたした。

「もちろん男だよな？　女だったら弟がかわいそうなんだけど」

小山が心配そうに身を乗り出してくる。

「男ですよ。聞いた話だと相当好きで追いかけ回してたみたいですね」

「……追いかけ？」

「そいつのあとつけたり、綺麗だ綺麗だっていっつもじーっと見てたり」

「ちょ、それなんかやば……あ、いや、じゃあ友達は？　どんな友達がいたの？」

「いなかったんじゃないかな」

「え、それどういうこと。友達いないやつだったの？」

「うーん、まあ、そんな感じで」

「おいおいおいおーい」

　小山は頭を抱えてテーブルに突っ伏した。

「つまりあの平良ってやつは、友達もいない、好きな人を追いかけ回して陰からじっと見てるストーカーみたいなやつってことか」

「いや、そこまでひどくもないけど……」

　しかし小山は聞いちゃいない。どんどん妄想をふくらませて、どうしようどうしようと頭を抱えている。思い込みが激しい男だなとあきれつつ、もういいかと説明を放棄した。大まかには間違っていないし、なによりもう平良のことを口にするのは嫌だった。

　あんなきもうざのことで一喜一憂して、今の自分はあきらかにおかしい。平良のせいだ。あいつの目を見ると調子がおかしくなる。やっぱりあいつは気持ち悪いやつだ。

　――もう、平良にはかかわらないでおこう。

　なのに平良はまた舞台を観にやってきた。会いたいと思っていたときは電話番号まで変えて逃げ回っていたくせに、こっちが会いたくないと思ったら現れる。

　話しかけてみる気になったのは、小山の弟の姿がなかったからだ。さりげなくカマをかけてみると、小山の弟は彼氏ではないと言う。一体どういうことなのか。真実が知りたくて、もうかかわりにならないでおこうと決めたのに打ち上げに誘ってしまった。

平良は嬉々《きき》としてやってきたが、以前のことがあるので油断はしなかった。今までの腹いせに他の男と親しいところを見せつけ、ようやく話しかけてやる気になれたのだ。

カフェで色々と話をしたが、はっきりしない平良にいらだちは益々募った。平良は小山の弟を彼氏じゃないと言う。けれどいいやつなんだ、優しいんだと熱心にかばうようなことも言う。連絡なしに携帯を変えた理由にはだんまりを決め込む。なのに清居が稽古場に困っていると言うと、場所を提供できるかもと身を乗り出してくる。平良はあのころと同じように、全てを捧げるみたいに熱のある目でまた連絡先を渡してくる。もうわけがわからない。

店を出てから、これだけははっきりさせておきたいと、小山の弟とこの先どうするつもりなのかを聞いた。探りを入れているようでみっともないが、実際、自分は探りを入れていた。そして平良がはっきりと否定するのを聞きたかったのだ。

「わからない」

平良は否定しなかった。

さらに「なんでそんなこと気にするの？」とまで言った。

わかんねえのかよ——と喉《のど》まで出かかった。

つきあう可能性があるということは、好きという気持ちがあるということだ。そんなやつがいるなら、なぜわざわざ自分に会いにくるんだ。なぜ稽古場を提供するなんて言うんだ。小山の弟と自分を天秤《てんびん》にかけているのか。

「そいつと、俺と、どっちが好きなんだよ」

怒りに任せた一瞬後、とんでもない羞恥に襲われた。

なんだ、この無様な質問は。しかし後の祭りだ。こうなったらもう清居に決まってるだろうと言ってもらわねば救われない。言えよ。言え。そしたらもう一度キスしてやる。そしたらもう一度やり直して——。

「は？」

ぽかんと口を開け、平良は馬鹿面をさらした。

思いもよらぬことを問われたという顔をしていた。

——なに言ってるの？　俺と小山のことに清居は関係ないよ？

と言われた気がして、耳まで真っ赤になった。自分がひどい勘違い野郎に思えて、平良の脛を蹴っ飛ばして逃げるのが精いっぱいだった。

大股《おおまた》で駅へ向かいながら、違う、絶対違うと、湧き上がる気持ちを否定し続けた。自分がこんなおかしなことになっているのは、単に下僕だった男の反乱が許せないだけだ。

これは恋に似ているけど恋じゃない。あんなきもうざを自分が好きだなんて、しかも冴えない男相手に二股をかけられているなんて、これ以上の屈辱はないと思えた。

「セリフ増えるんですか?」

劇団の稽古のあと、主宰から新しい台本を渡された。元は他の役者のセリフだったが、その役者が喉にポリープを患ってしまった。年末に手術を決めたが、それまでできるだけ喉を酷使しないために、セリフを他の役者に割り振っているという。

「もうゲスト出演って言えないボリュームだけど、大丈夫か?」

「ん……、これくらいの量なら」

ぱらぱらと台本をめくっていく。

「あと、おまえのとこの事務所からギャラ請求されんのも怖いんだけど」

「そんときはいさぎよく払ってください」

「うちみたいな貧乏劇団にそんな金あるか。あ、ママさんたちだ」

コーラス部のおばさんがにぎやかに入ってきて、団員は慌てて荷物を片づけて市民教室を出た。駅のホームで電車を待っている間、ぱらぱらと台本をめくった。振り分けられたセリフに赤線が引いてある。さっきはああ言ったが、これは稽古を増やさないとやばい。

問題は場所だ。舞台は事務所を通していない活動なので、稽古場を押さえてもらえない。劇団の稽古場は安いところを時間単位で借りている。マンションは無理だし、河原や公園も無人ではなく、以前通報されかけた。最後の手段はカラオケボックスか。

――準備しておくから、必要になったらいつでも連絡して。

平良の言葉が胸をよぎったが、ふんと鼻で蹴散らしてやった。叔父の家を借りてやると言っていたが、夜明けの駅前で平良と別れて一ヶ月、電話はかかってこない。自分からは絶対にかけたくない。一度連絡を絶たれた身として、再び自分からかけるのは癪《しゃく》にさわる。

というか、平良には金輪際かかわらないと決めたのだ。なのに毎日毎日、今日も連絡がなかったと落胆している自分がいる。日常のふとしたときに平良のことを思い出す。

今ごろ、小山の弟とうまくやっているんだろうか。

あんな地味な男を、自分を見ていたような熱っぽい目で見ているんだろうか。

考えなくてもいいことを考えてしまい、勝手に腹を立てている。馬鹿だ。平良にこだわるのはもうやめろ。そうスパッと思考を切り替えられるときは調子のいい日、切り替えられずにだらだら考え込むときは調子が悪い日。気づくとそんな物差しができていた。

『はい、もしもし』

電車を待っていると、ホームで隣に立っていた若い女が携帯に出た。

『仕事中でしょう。どうしたの？』

彼氏からだろうか。甘い声を出している。

『え、電話？　私かけてないよ。……あ、もしかしてさっきキミちゃんにかけたとき、間違えて番号押したかもしれない。急いでたから』

若い女の隣で、清居は目を見開いた。

――その手があったか……っ。

かけ間違えたフリをすればいいのだ。折り返しがあればそれでいい。なければ今度こそさっぱりできる。清居は携帯を取り出し、平良の電話番号を呼び出した。ちょうど電車がきてしまい、集中したかったので乗車列から抜け出してホームのベンチに座った。

かかったと同時に切らねばならない。ぐずぐずして平良が出てしまったら、清居のほうから電話をしたことになってしまう。これはあくまで間違い電話なのだ。平良の番号を呼び出すだけで胸がどきどきしている。たかが平良相手に腹立たしい。

恐る恐る平良の番号にかけ、電子音が鳴った瞬間切った。折り返しはあるだろうか。なかったらもういいと思える。なのにひどく傷つくような予感もしている。

そのとき、手の中の携帯が震えてびくりとした。

画面には平良の名が浮かんでいる。三十秒も経たないうちに折り返しがきた。安堵と一緒に単純な喜びが生まれる。でもすぐには出ず、少しもったいぶってから出た。

「もしもし」

いい感じにぶっきらぼうな声が出せた。

『き、き、清居？　俺、ああ、えっと平良……です。平良一成《かずなり》』

——知ってるっつうの。

つっかえながらフルネームを名乗る男が無様で、逆にこちらは余裕が生まれた。

「ああ、久しぶり。なんか用?」

『さっき携帯に電話くれただろう。なんだったかなと思って』

「……電話? したっけ。ああ、友達とかけ間違えたのかな」

『あ、そうなんだ』

平良の声に落胆がまじった。

「別におまえに用はなかったんだけど」

『……そっか。うん、でも全然いい。声が聞けてすごく嬉しい』

ストレートな言葉に、じわじわと喜びと優越感が生まれた。最近ずっとぺちゃんこだった鼻がみるみる長く高く伸びていくようだ。

『一ヶ月ぶりくらいかな。清居は元気?』

「まあまあだな。おまえは?」

『元気だよ。引っ越しとかで最近バタバタしてたけど』

「引っ越し?」

『前に言ってた叔父さんの家に』

「えっ?」

『清居からいつ連絡がきてもいいように、あの日すぐ叔母さんに連絡したんだ。家具とかそのままだからなんでもそろってるし、広すぎてちょっとさびしいけど』

ちょっと待て。待て。待て。そこまでやっているなら、なぜさっさと連絡をしてこない。わけがわからなくて呆然としていると、平良が言った。

『いつでも使えるから、清居の気が向いたときに——』

「場所どこだよ」

思わず問うと、平良が驚きながら住所を言った。そんなんじゃわからないと言うと、最寄り駅を口にしたので、今から行くから迎えにこいと勢いのまま命令した。

たかが一度の電話で、停滞していたものが動き出した。それは清居が考えていた展開を越えていて、嬉しいのにどこか油断ならないものも感じる。やはり平良はつかめない。

「清居！」

改札を抜けると、平良が立っていた。チェックのシャツにチノパンというださい学生御用達みたいな恰好で、目を輝かせ、頰を紅潮させて直立不動している。

「よう」

一言だけの返しに、平良は馬鹿みたいに嬉しそうな顔をした。犬なら尻尾をぶんぶん振り回して嬉ションをしそうな勢いで、一瞬、この一ヶ月の焦燥と怒りを忘れた。

「十分くらい歩くんだけどいい？」

「よくないって言ったらどうすんだよ」

平良はまばたきを繰り返した。

「じゃあ、タクシーで行こう。俺が払う。えっと向こうにタクシー乗り場が——」

言いながらターミナルを振り返る。今にもタクシー乗り場に走っていきそうな勢いに、慌てて冗談だと言った。平良は「冗談？」と首をかしげた。

「本気にすんな」

そう言うと、じわっと平良の顔がほどけていく。

「そっかあ、冗談かあ」

恥ずかしそうに首筋をかいている。からかわれても喜ぶ気持ち悪いやつだ。

「じゃあ、歩きでいい？」

「それしかないだろ。それともお前が俺を担ぐのか」

「清居がそうしてほしいなら、俺はがんばるよ」

真面目に答えられ、どうしていいかわからなくなった。こんなやつの言うことなんてまともに受け取るな。こいつの一途は見せかけだ。こいつは油断ならない男だ。なのに……嬉しいと感じる自分に鳥肌が立つ。気持ち悪さのあまり、自分ごと罵った。

「きもすぎる」

罵られたというのに、平良はやっぱりにこにこしていた。

駅から十分と言われたが、七、八分で家についた。椿《つばき》の生垣で囲われていて、建売とは違う広い庭付きの一軒家だ。玄関も廊下もゆったりと作ってある。このあたりは初めてきたが、駅からの道のりで品のいい住宅街であることが伝わってきた。

「どうかな。稽古できそう？」

「十分だ」

広いリビングを見回しながら答えると、平良の顔が安堵にゆるんだ。奥にはピアノ室もあるのだと平良が廊下を進んでいく。

「ここだよ。ピアノは嫁入り道具にお姉さんが持っていってないんだけど」

「いいよ。そのほうが広く使えるし」

防音パネルの壁をなで、清居はすうっと大きく息を吸い込んだ。あーっと発声をすると、平良がうわっとあとずさった。その様子がおかしかった。

「びびり。図体でかいくせに」

からかうように笑うと、平良はぽかんとした。

「なんだよ」

「ううん、会ってから初めて笑ってくれたから」

またた。手放しに嬉しそうな表情。自分は平良の唯一無二の相手だとおかしな錯覚を起こさせる笑顔。最初は嬉しかったが、だんだんいらっとしてきた。そんな顔をするのに、平良の行動には一貫性がない。痛い勘違いをして恥をかくのはもうまっぴらだった。

「おまえ、この家、本当に俺のために叔母さんに頼んでくれたの？」

「うん。でも気は遣わないで。俺が勝手にやっただけだから」

「別に遣わないし」

そっけなく言い捨てると、平良がうんとうなずいた。

「そうだね、ごめん」

なんでそこで謝るんだ。それじゃあこっちが意地悪みたいじゃないか。

「俺のためって言うけど、俺が電話しなきゃ、おまえはここでひとり暮らしするつもりだったんだろう。渋谷《しぶや》にもすぐ出られるし、すげえ便利なとこだよな」

自分のためもあるんだろうと暗に含んでやったのだが、

「俺、渋谷とか行かないし」

「…………」

説得力のありすぎる答えだった。けれど、そう簡単に納得してたまるか。

「俺のためって言うなら、なんで連絡してこなかったんだよ」

問うと、平良は言葉を詰まらせ、ほらみろと言いたくなった。

「本当は俺が電話したの迷惑だったんじゃないのか」

「それは絶対ない」

平良は珍しく声を張り、しかしすぐにうつむいた。

「電話は……したかった。でも俺からはできなかった」

「なんでだよ。番号交換しただろう」

「最後に会ったとき、清居、すごく怒ってたし」

「そ、それは……」

「それに小山のお兄さんに、俺のこと友達いないストーカーだって言ったろう」

「は？」

問い返したが、そういえば……と、打ち上げでの小山との会話を思い出した。兄から弟へ、弟から平良に伝わったのか。けれどあれは小山の先走った決めつけもあって——。

「もしかして、誤解だった？」

平良が聞いてくる。

「……誤解っていうか」

あれは小山の先走りが大部分だったけれど、自分も否定しなかった。いや、最後にちょろっと否定したが、大まかなところは流してしまった。

「いいんだ。俺はその通りの人間だし。清居は本当のことを言っただけだ。陰口だとも思ってない。清居は高校のときからちゃんと『きもい』『うざい』って俺に言ってたし」

清居は黙り込んだ。過去の自分が今の自分の首をしめる。

「ただでさえそう思われてるのに、家を用意したからなんて、気持ち悪いを通りこして警察に通報されたらどうしようと思ったんだ。俺はいいけど清居に怖い思いさせるのは嫌だし、でももし清居から電話があったときのために用意だけはしておこうと思って……」

平良はぼそぼそとうつむいて話し、清居はひどくバツが悪くなった。こうして理由を説明されると、平良から連絡がなかったのは自業自得だと思えてきた。

平良は主人に叱《しか》られて、尻尾をだらんと下げている犬みたいにうなだれている。自分が平良をいじめているようで、罪悪感と同じ量の理不尽な思いが湧き上がった。

確かに自分は平良に対して、言葉や態度が必要以上にきつくなるときがある。でもだからといって、そんな風に一方的に傷ついてますという態度に出られると、それはちょっと違うだろうと言いたくなる。こっちが完全強者なら、なぜ自分はこんなにぐるぐるしているんだ。どうして平良の電話を待って、毎日、毎日、携帯を見て落胆していたんだ。

「俺ばっか悪いみたいに言うなよ」

ぼそりとつぶやいた。またみっともないモードに入ろうとしている。だめだ。やめろ。もうひとりの自分が必死に止める。でも胸に渦巻く理不尽さを我慢できない。

「先に連絡切ったのはおまえだろう」

「え？」

「なんも言わずに携帯のアドレスも番号も変えて、そういうのって普通に考えたら『こいつとはもう縁が切れてもいい』って思うときにすることだろう」

「ちょ、ちょっと待って、それは清居が——」

そのとき玄関でチャイムが鳴った。平良が振り返る。ちょっと待ってて、すぐ戻るからと慌てて部屋を出ていった。ひとり取り残され、清居は両手で顔を覆ってしゃがみこんだ。

——また、やっちまった。

顔が熱い。手に伝わる体温がどんどん上がっていく。あれじゃあ、ふられた側の恨み言じゃないか。恥ずかしい。やっぱりくるんじゃなかった。もう帰りたい。

「お友達がきてるの？」

女の声が聞こえてきて、どきりとした。もしや小山の弟だけでなく女にも手を出しているのか。そっと廊下から顔を出すと、玄関には母親らしき年配の女性がいた。

「今、大事な話してるから」

「はいはい、わかりました。でもほら、インスタントばっかり食べてるんじゃないかと思って色々作ってきたの。これだけ冷蔵庫にしまったらすぐ帰るわ。あら、こんにちは」

平良の母親がこちらを見る。しまったと思ったがもう引っ込めない。部屋から出て、お邪魔してますと頭をさげると、平良の母親はとても嬉しそうな顔をした。

「こんにちは、大学のお友達？」

「あ、いえ、高校のときの」

友達とは言えないので曖昧《あいまい》にぼかすと、母親は驚いた顔をし、「まあまあ、そうなの。昔からのお友達なのね」とさっきよりもすごい笑顔を作った。

「せっかく遊びにきてくれてるのに、邪魔してごめんなさいね。おばさんすぐ帰るから。あ、ご飯色々作ってきたから、よかったらあとでカズくんと食べてね。エビフライもあるのよ。あと野菜食べてないだろうから煮物とかおひたしも、夕方だしお腹空いたでしょう」

「母さん、もういいから早く帰って」

平良がやや邪険な言い方をする。そういう平良を初めて見たのでなんだか新鮮だった。家では平良も普通なのだ。平良の母親ははいはいと紙袋を手に台所へ入っていく。

「ごめん、すぐに帰ると思うから」

「別にいいけど」

「カズくーん、ふたり分、すぐ食べられるようにしておく？」

声が割って入ってくる。平良がうかがうようにこちらを見る。

「あの、よかったら食べていって」

「……じゃあ、食う」

平良はぱっと顔を輝かせ、「そうしといてー」と台所に向かって声を張った。こんな大きな声も初めて聞いた。母親がいると思うとさっきの話の続きもできず、リビングのソファで手持ちぶさたに待っていると、ほどなく母親が顔を出した。

「カズくん、じゃあお母さん帰るわね」

うんと平良が立ったので、清居も立ち上がった。母親がこちらにほほえみかける。

「邪魔してごめんなさいね。急にひとり暮らしなんて心配だったけれど、おうちにまできてくれる昔からのお友達がいるって知って安心できたわ。これからもよろしくね」

深々と頭をさげられ、清居はうまく返事ができなかった。自分は平良をパシリに使っていたのだ。よろしくお願いされるようなことはなにもしていない。身内と話すことによって、過去の自分がしてきたことへの罪悪感を喚起された。

「じゃあ、ご飯食べようか」

平良の母親が帰ったあと、促されるまま台所へ行くと、ダイニングテーブルにふたり分の食事が用意されていた。コロッケ、野菜がたくさん入ったポテトサラダ、きのこのおひたし。スープもあるよと平良がレンジの鍋に火をつけた。

「じゃ、いただきます」

平良と向かい合って手を合わせた。

「あ、なんだこれ」

コロッケを一口食べ、清居は思わずつぶやいた。コロッケと言えばジャガイモで、ポテトサラダとかぶってんじゃんと思っていたが、細かくたたいたエビだけのコロッケでめちゃくちゃうまい。揚げてから時間が経っているのにサクッとしている。

「料理好きだから、色々工夫するのが楽しいみたいだよ」

平良の母親は上品で優しそうな人だった。あの母親といい、凝った料理といい、海外赴任の叔父といい、プライベートの平良はおぼっちゃんであることがうかがえた。

「これハンバーガーにしてもうまいだろうな。エビバーガー」

「母さんに言っとくよ」

「絶対言うな」

サラダもおひたしもスープも全部おいしい。ひとり暮らしをはじめてからコンビニや外食ばかりで、不便を感じているわけではなかったのに身体は正直だ。

食事が終わったあと、平良が意を決したように言った。

「さっきの話、続きしてもいい？」

清居はグラスを置いて身構えた。

「俺は清居と縁を切ったつもりなんてなかった」

「実際に番号やアドレスも変えておいて？」

「卒業式の日、もうつきまとうなって言われたと思ってたから」

清居はぽかんとした。それはどういう発想だ。

「卒業式の日、『じゃ、またな』って言われて、もう電話しちゃいけないんだと思った」

「なんでそうなるんだよ。普通に『またな』って言ってんのに」

「でも、俺には怒ってるように見えた」

それは気恥ずかしかっただけだ。本当はちゃんと言葉を用意していた。でもどうしても口にできなかった。少しは察しろよ、空気を読めよ、と言うのはコミュニケーション能力が著しく低い平良には求めすぎなんだろうか。

——じゃあ、やっぱり俺が悪いのか？

——でも、こちらもいっぱいいっぱいいっぱいな場合はどうすればいいんだ。

——いっぱいいっぱいいっぱいなことを相手に伝えられない場合は？

考えこんでいると平良が恐る恐る口を開いた。

「……あの、ひとつ聞いてもいい？」

「なんだよ」

「『またな』って、どういう意味？」

質問の真意がわからず、そのままの意味を答えた。

「だから『またな』は『またな』だろ。また明日とか、また今度とか」

「……やっぱりそうなのか」

平良はショックを受けたように肩を落とした。

かするか」

「それ以外、どんな意味があるんだよ。大体、もうつきまとうなって思ってる相手にキスなん
「あれはお情けの餞別《せんべつ》だと……」

予想をはるかに突き抜けた答えに二の句が継げなかった。どこまでネガティブなんだ。崇められるのは気持ちいいが、度がすぎて常識が通じない男に頭をかきむしりたくなった。

「お情けでキスなんかするか！」

「じゃあ、なんでしてくれたの？」

「……え？」

一瞬で固まってしまった清居を、平良が不安そうに見つめる。

「ど、どうしたの？」

平良は本当にわかっていないようで、さっきよりも強く、おまえもちょっとは努力して俺を読めよ、いや、読んでくださいとお願いしたくなった。キスの理由なんてわざわざ聞くな。少しは自分で考えろ。キスをする理由なんて普通に考えたらひとつしかないだろう。

平良は馬鹿だ、アホだ、一回死ねばいい。

そして、同じ言葉を自分にも投げてやる。

好きなのだ。自分は平良を好きで、だからキスをしたのだ。

キスをする理由なんてそれで十分だろう。平良を罵りながら、自分の逃げ場所を自分でつぶ

してしまったことにようやく気がついた。平良は困った犬みたいに自分を見ている。

「……帰る」

平良がえっと目を見開いた。立ち上がり、鞄《かばん》を手に大股で玄関へ向かう。平良が慌てて追いかけてくる。無視して靴をはいていると焦ったように鍵を差し出された。

「ここの合鍵。俺がいなくても自由に使ってほしい」

清居はそれを凝視した。受け取るのが怖い。受け取ったら、またこのきもうざな変人と縁ができてしまう。それは激しく嫌だ。なのに受け取らないという選択がない。

「……他のやつとバッティングとか嫌なんだけど」

それだけは確認しておきたかった。

「うん。母さんにはもうこないように言っておく」

「じゃなくて、小山さんの弟」

「え？」

「つきあうかもとか言ってたし、なのに他のやつに合鍵とかおかしいだろう」

「つきあうかもなんて言ってないし、小山とはなんでもないよ」

「でも、いいやつだってすげえ褒めてたじゃないか」

言った尻から、頭を抱えてしゃがみこみたくなった。これでは拗《す》ねているみたいだ。自分はこんな人間だったのか。あまりの無様さに眉間《みけん》に皺《しわ》が寄ってしまう。なぜこんな面倒くさいことになっているんだ。死ね、自分。

「小山はいいやつだけど、つきあわない」

「……なんで？」

平良は困った顔をした。

「そういうことは、あんまり人に言うことじゃないから」

その言い方に神経を逆なでされた。自分だって普段は他人の恋愛事情に首を突っ込んだりしない。マナー云々ではなく単にどうでもいいだけだが、平良の場合はどうでもよくないから聞いている。少しは察してくれよ……と願ってもこいつには無理だろう。

「俺は、おまえのなんなの？」

「世界で一番好きな人だ」

そこだけはぶれない答えに背中を押された。

「じゃあ、俺とつきあいたいとか思うのか？」

じりっと顔が熱くなった。うんと言え。そしたらこっちも素直になれる。胸をざわつかせながら答えを待ったが、返ってきたのは予想もしないものだった。

「思わない」

清居はまばたきをした。

「なんで？」

「……なんでって」

平良は『それくらいわかってよ』と言いたげな顔をした。それはこっちの言いたいことだ、ボケと怒鳴りたかったが、平良が言葉を探すように口を開いたのでこらえた。

「キングだから」

「は？」

さっきよりもまばたきの速度が上がる。

「だから……清居は王さまみたいな存在で、俺はそれに仕える側の人間で、無理にそうしてるわけじゃなくて、イメージとしては俺はアヒル隊長……、あ、アヒル隊長っていうのはアヒルの形をした黄色いおもちゃで、プールやお風呂で子供が遊ぶやつなんだけど、知ってる？」

──知ってますけど、それがなにか？

そう問いたい清居を置き去りに、平良はアヒルの説明をし続ける。アヒル隊長は昔汚水を流れていたとか、今は栄誉あるキングのおもちゃとして金色の川を流れているとか、自分はそれで十分なのだとか、一生懸命ぶつぶつ話し続けている。

なにが言いたいのかわからない。というかきもい。きもすぎる。

──なんで俺、こんなやつが好きなんだ。

ドアノブのない扉の前で立ち尽くしながら、うっすらとわかってきたことがある。

八割がネガティブでできている平良の中には、頑強で意味不明なマイルールがある。清居は今まで自分を自己中心的だと思っていた。たまにはそんな自分を反省することもあった。しかしある意味、平良は自分をも凌駕《りょうが》する『俺さま』だった。しかも自分が『俺さま』だと気づいていないので反省もしない。わかりやすい『俺さま』より何倍もタチが悪い。

「……もう、いい」

なんだかショックを受けてしまい、まだアヒル隊長の話をしている俺さまに背を向け、清居はさっさと平良の叔母宅をあとにした。平良が慌てて追ってくる。

「駅まで送るよ」

「いらねえよ。女か」

「じゃあ、これだけでも」

差し出された合鍵をじっと見た。受け取るな。こんなきもい男はすっぱり忘れろ。こいつとどうにかなろうなんてただの罰ゲームだ。世の中にはもっといい男がいる。わかっている。なのに受け取ってしまった。自分という人間が、自分の手のひらからぽろりとこぼれる。コントロールが利かなくなる。為《な》す術《すべ》もなく、恋ってこういうものかと頭痛がしてきた。

「ありがとう」

平良は心の底から嬉しそうな笑顔を浮かべる。目元がうっすら赤い。そんな蕩《とろ》けそうな目をするくせに、最後の最後で思い通りには動かない。それが忌々しい。

「じゃあな」

さっさと踵《きびす》を返し、ふと思い直して振り返った。

「またくるから」

卒業式のときみたいな馬鹿な誤解をされたくなくて、思わず言い直してしまった。すっぱり忘れろと理性は言うのに、もうひとりの自分はそれをあっさり裏切る。

つけたされた言葉に平良がぽかんとしてる。

アホ面が腹立たしく、自分が恥ずかしく、清居は大股で駅へ向かった。

「ま、待ってるよ。いつでも待ってるから！」

感極まったような声が背中にぶつかる。けれどもう振り返らなかった。


玄関ドアを開けると、靴を脱ぐ間もなくリビングから平良《ひら》が飛び出してくる。いらっしゃいと嬉《うれ》しそうに尻尾を振りまくる平良に、「よう」と簡単な挨拶《あいさつ》を返した。

「清居《きよい》、夕飯食べた？　さっき母さんがエビコロ山ほど揚げていったけど」

「まじか。マック食ったの失敗したな」

「じゃあ明日の朝ごはんにしようか」

それは泊まっていくかという質問で、だな、と答えた。平良の顔がぱっと輝く。その反応に清居の口元もゆるむ。ニヤつきながらリビングに行く間も平良が話しかけてくる。

「お風呂わいてるよ。いつでも入れる」

「じゃあ入る。あ、これ向こう置いといて」

鞄《かばん》を平良にあずけ、清居はリビングを通りこして風呂に向かった。ご飯にする？　お風呂にする？　なんて古臭い新婚コントみたいだが、なかなか気分がいいものだった。

最近、連日のように平良の家にきていて、日毎に自分の荷物が増えていく。洗面所の平良のグリーンの歯ブラシの横には清居のイエローの歯ブラシが並んでいて、がら空きだった洗面所の棚には清居のスタイリング剤が乱立している。ひとり暮らしの狭いユニットバスとは大違いのたっぷりとした湯に浸かると、今日一日の疲れがほどけていく。

初めてここにきた日は、すれ違いまくりの考え方や平良のネガティブ俺さまぶりや、あまりの会話のかみ合わなさに絶望したが、実際に出入りするようになると、ここは居心地のいい場所だった。防音室つきの部屋にこもれば深夜でも稽古《けいこ》ができるし、腹が減ったと言えば平良が不器用ながらなにかを作ってくれる。もちろん他の男の影はない。

高校時代、城田《しろた》たちは平良を理想のスレイブと言っていた。まったくその通りだ。このまま理想の恋人になってくれるのが一番いいし、多分、この調子でいけば遠からずそうなるだろうと思っている。まあ理想というには気持ち悪すぎる男だが——。

風呂から上がり、暑いのでパジャマの下だけはいた恰好でリビングへ行くと、平良がぎょっとした。視線を左右に揺らし「なにか飲む？」と聞いてくるので「炭酸水」と答えたら、けっしてこちらを見ないように慌てて台所へ走っていった。

――百パー童貞だな。

清居はバスタオルで髪を拭《ふ》きながら鼻で笑った。

しかし清居も人のことは笑えない。相変わらず男女問わず口説かれることは多いが、誘いにのったことはない。やっぱり初めては好きな男とがいい。それがきもうざの平良だということに複雑な思いがよぎるが、それはまあ……しかたないことだ。

色々総合すると、初恋もファーストキスも初体験も平良ということになり、自分は意外と一途な男なのだと知った。なんだか気恥ずかしい。しかし惚《ほ》れてもいない相手にふれさせるなんてまっぴらごめんだ。道徳云々ではなく生理的に無理なのだが、少し損な気もする。

「はい、どうぞ」

レモン入りの炭酸水を差し出され、サンキュと受け取った。ソファでだらりと冷えた炭酸水を飲んでいると、平良がテーブルに置いてあるカメラを手に取った。

「撮ってもいい？」

「いいけど」

ぞんざいな横目を向けると、カシャリと懐かしい音が響き、そのままあらゆる角度から連続で撮られる。特にポーズを決めているわけでもない、だらだらとした日常を撮るのが平良は好きなようだ。

先日、高校時代のものも含め、今まで撮りためたものを見せてもらった。平良は最初は渋っていたが、もう撮らせてやらないぞと言ったら慌てて分厚いアルバムを何冊も持ってきた。

写真自体はよかった。プロのモデルなので撮られることには慣れているが、ファッション雑誌のグラビアと違い、ファインダーの重点が清居自身に置かれている。

——俺、こんな顔してるのか。

平良の写真には、プロが撮るグラビアでも見たことのない素の自分が写っていた。技術のことはわからないが、さすがによく見てるなと感心した。

見つめることは愛なので、正直、嬉しい。しかし加工を変えただけの同じ写真が何枚も続いているのを見ているうち、愛の重さに若干引いた。好きなやつの写真がほしいと思うのは理解できるが、ここまで大量に持っててもしかたないだろう。よく飽きないなと言ったら、

——え、プライベート写真だよ？

一体なにを言ってるんだという非難すらこもった目で返され、なんともいえない気分になった。ほとんど毎日泊まりにきていて、平良も嬉々《きき》としてそれを受け入れている。この調子でいけば遅かれ早かれ恋人同士になるだろうと楽観する反面、一向に縮まらない距離感に焦りも感じはじめている。平良は理想的なスレイブで重症なファン体質の男だ。それはいいとして、いつまでそこにいるつもりなのか、ちょっとは詰めてこいよと言いたくなる。

「足の爪、伸びてきてるね」

いつの間にか平良がすぐ近くまできていた。ソファの前にかがみこみ、清居の足、それも小指あたりを激写している。なんでそんなところを撮りたいんだと思いつつ、清居は平良の肩に長い足をのせ、「じゃ、切って」とからかうように笑った。

「わかった」

平良はカメラを下ろし、ごく普通に立ち上がった。

「え、ほんとに切るつもりか」

「だめなの?」

ひどく残念そうに問われ、いいけど……と答えると、平良は引き出しから爪切りを出して清居の前にひざまずいた。自分の膝《ひざ》に清居のかかとを置き、手で軽く持ち上げる。

「人の切るの初めてだから緊張する」

清居だって人に爪を切られるなんて子供のころ以来だ。しかし平良の大きな手にかかとを包まれると胸がざわついた。ぱちんと音がして、小さな三日月がどこかに飛んでいく。

「清居は小指の爪まで綺麗だ」

うっとりと目を細める。清居の爪を切りながら、こんな至福の表情を浮かべるのは世界中探しても平良くらいだろう。変態だ。きもい。なのにその変質じみた執着こそが、自分を平良につなぎとめている。快感に似たものが湧《わ》き上がる。需要と供給が完全に合致している。

「清居は手も綺麗だ。指が先に行くほど細くなって」

「そういえばおまえ、手もやたら撮ってたな」

その流れで手の甲にくちづけられた。

あのときの頭の奥まで痺《しび》れるような感覚を思い出す。

平良も同じことを思い出しているだろうかと、目の前の男をじっと見た。

つむじから毛が一筋アンテナみたいに立っている。平良はスタイリングをしない。おしゃれというものに縁がない。しかし平良は背が高い。肩幅もまあまある。劇団仲間が味のある俳優顔と言っていたし、素材はそれほど悪くもないのだろう。問題は髪型と服装だ。

「なあ、今度一緒に買い物いく?」

「え、いいの?」

平良が顔を輝かせ、積極的な姿勢に清居は気をよくした。

「おお、じゃあ渋谷《しぶや》でも——」

「近いのはサンデイだけど、駅向こうのフレッシュマートがいいって母さんが言ってたよ。フレッシュマートは店先に地元の野菜コーナーがあってそれがすごく新鮮だって」

「そっちの買い物じゃねえよ」

思わずツッコんだ。なぜ大学生の男ふたりが買い物に行こうと話をして、近所のスーパーという発想になるのかわからない。服だと言うと、平良は怯《おび》えた顔をした。

「いいよ、俺、今ので十分だし。渋谷とか怖いし」

「なんも怖くない。俺がついていって、もっと似合うやつ選んでやる。ついでにサロンも」

「貴族？」

「死ね。ヘアサロンに決まってるだろ」

するとと平良はぶるぶると首を横に振りはじめた。

「無理、服屋より無理。なに話していいかわからないし、これでって写真を持っていっても絶対おまえに似合うわけないだろう、身の程を知れって思われるし」

平良はうろたえながら爪切りに戻る。

「サロンごときでそんなに怯える意味がわから――痛っ」

ぱちんと音がした瞬間、小さな痛みが走った。

「ごめん、切りすぎた！」

平良がかかとを持ち上げて爪先を確認する。

「ああ、いいだいじょ――」

答える途中、いきなり指を含まれて清居は硬直した。

「……ちょ、い、いいって、そんな」

大きな手でしっかりと足をつかまれたまま、熱く濡《ぬ》れた舌でやわやわと指全体を包み込まれる。必死で身をよじっても、くすぐったさに力が入らない。ぬめった舌の感触に、腰の奥が疼きだす。湧き上がってくる不穏な熱に耐えていると、ようやく平良が口を離した。

「ごめん、血は出てないけど一応消毒……あ」

平良が途中で口を閉じる。なんだと平良の視線を追いかけ、うわっと声が出かけた。不自然に持ち上がっている足の中心を慌ててバスタオルでかくした。頰や耳まで熱い。

「お、おまえが変なことするから……っ」

「ごめん、責任取る」

「え？」

「清居がいいなら、俺がする」

俺がする……という言葉の意味をさぐり、理解した途端、首筋まで熱くなった。平良の目にはからかいの成分はまったくなく、足の中心がより反応を強めてしまう。

「嫌？」

問われ、ひどく焦った。いくらなんでも唐突すぎるだろう。

「清居が嫌ならしない」

そう言われると——。

「……い、嫌じゃないけど」

目を合わせないまま答えると、平良がゆっくり身体をよせてくる。緊張で頭の中が真っ白になる。バスタオルを取られると、布地越し、さっきよりも如実に反応している場所が目に入る。

想像だけでそんなことになっている自分の身体を恨んだ。

「本当にいい?」

念を押され、もう死ぬほど恥ずかしくなった。

「うるさい、何度も聞くな」

「ごめん、もう聞かない」

パジャマのウェストに手がかかる。指先が震えている。平良も緊張しているのだ。

「腰、少し上げて」

そろそろと腰を上げると、下着と一緒にパジャマをおろされた。電気のついた明るいリビングで、自分だけが恥ずかしい場所をさらされていることに羞恥が生まれる。

「……すごい綺麗」

至近距離から見つめられ、そこは萎《な》えるどころかますます淫靡《いんび》な反応を見せる。

「じろじろ見るな」

「だって清居のは色も形もすごく綺麗だ」

そんな感想なんかいらない。きもい。なのに平良に見られていると思うだけで全身が灼《や》けるように熱く感じて、先端の小さな窪《くぼ》みにじわりと透明な液体がにじみだす。

「……すごい、まださわってないのに」

恥ずかしすぎて泣きそうになった。

「も、もういい。もうやめ……っ」

びくりと大きく身体が震えた。足の中心に平良が顔を伏せている。

「あ、ちょっと待……っ」

熱く濡れた粘膜に、張りつめたものを呑み込まれていく。

震えがきそうな快感に声がもれそうになり、とっさに口に手を当てた。

丸みを帯びた先端やくびれを舐められ、ときおり鈴口に舌が入り込もうとする。そのたび電流を流されたみたいに爪先まで突っ張ってしまう。

「……んっ、ふ……っ」

手で押さえても息がもれてしまう。どうしよう。気持ちよくて死にそうだ。初めて味わう快感は涙がにじむほど強烈で、必死に首を横に振っていると、ふと刺激がやんだ。

「もうやめる?」

「なんで……」

「泣きそうな顔してるから」

けっ飛ばしてやりたい衝動に駆られた。やめる? こんな状態で? 嫌でも目に入る中心は今にも爆《は》ぜそうに真っ赤に充血し、唾液《だえき》でいやらしく濡れている。こうしている間にも下腹全体が甘くうずいて、鈴口からねだるように蜜があふれている。

「……やめなくていい」

「でも嫌がるみたいに首振ってたし」

こういうときの否定の言葉や態度をそのまま受け取るな。こんな状態で放り出されるのがつらいことくらい同じ男としてわかれよ。ああ、でもわからないのが平良なのか。

「……嫌じゃない」

ほとんど怒りに近い気持ちでお願いした。

「気持ちいいから、続けろ……っ」

羞恥で泣きそうになっていると、かわいい……と平良が呆然《ぼうぜん》とつぶやいた。思わずにらみつけたが、熱く濡れた場所に再び呑み込まれて気を挫かれた。

「……っん、く」

待ちわびた快感に、あっという間に身体も気持ちもぐずぐずにされていく。口淫を続けながら茎をゆっくりさすられると、猶予のならない快楽がやってくる。

「……平良、も、……出る」

とぎれとぎれの訴えに、平良が一旦口を離した。

「いいよ、このまま出して」

「ばっ……、ふざけんな」

初めてでそんな恥ずかしいことができるか。しかし口淫が深まり、全身から力が抜ける。快感がぐんぐん水位を上げてきて、思わず平良の髪をつかんだ。

「平良、それ、やばい……っ、あ、ああっ」

声がはずんで、訴えとは逆につかんだ髪を引き寄せてしまう。うっすら目を開けると、平良と目が合った。清居の性器に舌を這わせながら、感じている様をじっと見つめている。ぞくりと甘く肌が粟立ち、次の瞬間、高みがやってきてきつく目を閉じた。

「……んっ、あ、ああっ」

どくりと中心が波打つ。放たれたものを、平良はためらいもなく嚥下《えんか》していく。

すべてを吐き出したあとも、快感の余韻が怠惰な蛇みたいに下腹にとぐろを巻いている。頼りなく開かれた足の間にはまだ平良がいて、力をなくした性器を飴玉《あめだま》みたいにしゃぶっている。

「……んっ、いやだ、も……んうっ」

達したばかりの性器はすぐには愛撫《あいぶ》に反応できず、それは身体のもっと深い場所にもぐりこみ、腰骨全体をさわさわと撫《な》でられるようなもどかしさに変わる。くすぐったいのか気持ちいいのか判別つかないまま、じわじわと再び性器が頭をもたげてくる。

「続けていい？」

こんな状態にしておいて、いまさら聞くなと恨めしい気持ちになった。

一度出してしまったので、二度目はなかなかいかなかった。その分、ゆるく長く続く熾火《おきび》のような快感に理性ごと蕩《とろ》かされ、ひっきりなしに喘《あえ》がされた。ようやく達したあと、ぐったりソファにもたれる清居の膝頭に平良がそっとくちづけてくる。

「疲れた？」

「……ん」

清居はクッションを抱きしめて顔をかくした。理性と一緒に羞恥心も戻ってくる。目を合わせられないでいると、ちょうど平良の腰あたりが視界に入った。そこは不自然に突っ張っていて、遅ればせながら平良の状態に思い至った。同じ男としてこれはつらい。

「悪い」

身体を起こすと、平良が首をかしげた。

「えっと、その、俺も……してやるよ」

恥ずかしいので目を合わせずに言った。

「俺はいいよ」

しかしあっさり断られ、えっと平良を見た。

「清居はそんなことしなくていい。ゆっくりしといて」

平良はそそくさとリビングを出ていき、清居はぽかんとした。俺はいい？　嘘だろう？　あんな状態で放っておくなんて男なら耐えがたいはずなのだが――。

腑《ふ》に落ちない気分でパジャマをはき直して待っていると、トイレの水を流す音がした。戻ってきた平良の下半身は平静を取り戻していて、清居は愕然《がくぜん》とした。

――まさか、自分で抜いたのか？

頭の中にクエスチョンマークが乱舞する。こっちからしてやると言っているのに、自分で処理するか？　なんなんだこいつ。意味がわからない。わからなさすぎて怖い。

「なにか怒ってる？」

不穏な視線に気づいたのだろう、平良がのぞき込んでくる。

「もしかして、俺がしてきたこと……」

「バレたら困るようなことをしてきたのか」

清居の問い返しに、平良は一瞬で顔を赤くした。

「ご、ごめん。でも清居のことは考えてないから」

「は？」

「他のことを想像してした。清居のことは一切考えてない。だから心配しないで」

真剣な顔で言われ、清居は態度に困った。

――待てよ。ちょっと待てよ。おかしいだろうそれ。

口でした挙句に飲むなんてディープな行為に及びながら、清居からの接触は拒み、あまつさえ他のなにかをネタにして自分で処理って、どこからツッコんでいいのかわからない。好きな相手がしてやると言ったら、迷わず『ありがとうございます！』の一択だろうが。

「おまえなあ――」

辛抱たまらず口を開くと、平良がびくりと肩をすくませた。

不安そうな目で見つめられ、「なんで俺で抜かないんだ」とは言えなくなった。

「……なんでもない」

耐えがたい理不尽さを耐え、清居は大股《おおまた》で洗面所へ向かった。なぜこうなるんだ。いらいらとドライヤーを当てながら、徐々に不安がせり出してくる。

もしや平良は、恋愛という意味では自分に興味がないのだろうか。清居のことを世界で一番好きとは言うが、好きにも色々種類がある。平良の好きが恋愛の好きとは限らない。

――いやいや、あんな行為までしておいてそれはないだろう。

清居は鏡越しに自分と見つめ合った。

――もしかして、俺の態度がきつすぎるのか？

平良がネガティブ俺さまだということはよく知っている。あいつの考えを変えることは至難の業だ。ならこっちが変わるしかない。平良がネガティブを発動させないよう、たとえばアイドルのようなわかりやすい爽《さわ》やかな笑顔とか……。平良にアイドルスマイルを向ける自分を想像して鳥肌が立ったが、仕事だと思えばがんばれそうな気がする。

清居はリビングに戻ると、いつものように向かいに座らず、平良の隣に腰をおろした。平良がびくっとこちらを見る。怯えた顔に一瞬いらっとしたがこらえた。

「どうしたの？」

「たまにはおまえと並んで座りたくなった。だめか？」

軽く上目づかいで聞いてみた。自分でも気持ち悪いが客観視は捨てた。

「ぜ、全然いいよ。清居の好きなようにして」

「サンキュ。あー、つかなんか今日疲れたなあ」

平良の肩に頭をのせると、うわっと肩を外されて逃げられた。

「なに？　どうしたの？　気分でも悪いの？」

「……どこも悪くない」

的外れすぎる反応に怒りがこみ上げる。しかしこれは撮影だと思って、笑顔を保ったまま再びくっついた。平良が一瞬で身体をこわばらせる。

「き、き、き、き、き、ききき──」

久しぶりに平良の吃音《きつおん》を聞いた。初めて聞いたときは『きも』と一秒で視界からシャットアウトした。あのころの自分に、おまえは近い未来、あの男を好きになると教えてやったらどうするだろう。多分、死ねばーかで終わるだろう。一向に緊張をとかない平良へのいらだちをごまかすように、清居は馬鹿なことを考えていた。

稽古が終わってから携帯を見ると、入間《いるま》からメールが入っていた。

『時間があったら飯でもどうですか』

入間はそこそこ人気の中堅俳優で、仕事を通して知り合って以来、なんだかんだと清居に構ってくる。入間がゲイだというのは業界では公然の秘密だ。口説かれるのが面倒なのでいつもは適当にかわすのだが、今日はＯＫの返信を打った。

「もう完全にふられたと思ってたから、会ってくれて嬉しいよ」

待ち合わせたのは会員制のレストランで、その中の個室で入間がグラスをよせてくる。早速口説きですかと思いながら、なんですかそれと笑ってグラスを合わせた。

「彼氏でもできたのかと思ってた」

「ないですよ。仕事が忙しいだけで。これでも学生兼業なんで」

「本当かなあ」

「本当ですって。あ、よかったら今度の舞台観にきてください」

清居は鞄からチケットを取り出した。ゲスト出演する舞台の初日がもうすぐだ。稽古は終盤に入っていて、それはイコール平良の家に入り浸っているということでもある。

「ふうん。でも、そうなりかけの人くらいはいるんじゃない？」

頬杖で問われ、わずかに返事が遅れた。

「あ、やっぱりいるんだ」

「さあ、どうですかね」

なんだか言い訳するのもだるくなってきて、清居は椅子《いす》に深くもたれた。そもそも気のない相手からの口説きを楽しめるタチではないのだ。笑顔を作るのが面倒になってくる。

「もしかして片思い？」

「世界で一番好きだとは言われますけど」

「熱烈だな。べた惚れじゃないか」

「そうなんですかねー……」

「さては喧嘩《けんか》でもした？」

「そういうんでもないんですけど」

思わずもれそうになった溜息《ためいき》を寸前でせき止めた。笑顔を見せるのもだるいが、へこんでいる姿を見せるのも嫌いだ。

へこんでいる――といっても、平良ともめているわけではない。平良とはほぼ毎晩会っているし、関係も前進していると思う。あの日を境に、そういう行為を頻繁にするようになった。ソファに並んで座りながら、ふとしたときにそういう雰囲気が生まれる。

――してもいい？

もう何度もしているのに、平良は必ずお伺いを立ててくる。わざわざ聞かなくていい、と言っているのにだめだ。清居が許しを与えないとさわってこない。それが歯がゆい。そして清居を満足させてしまうと、自分はそそくさと消えて自己処理をする。

腑に落ちない。

平良がネガティブを発動させないよう、清居は極力穏やかに接するよう努力している。お寒いアイドルスマイルをサービスすることもある。けれど平良は変わらない。かたくなに清居を崇《あが》めるばかりで、距離を縮めようとはしない。

ここからさらに進展させたければ、もうひと押しするしかない。好きだと告げて、友情から恋愛に関係を変える。しかしその踏ん切りがなかなかつかない。

——俺から平良に告白するのか……。

信じられない。というか信じたくない。俺はどうしてあんな変人が好きなんだ。高校生のときもキングとか一兵卒とか、大学生になってもアヒル隊長とか金色の川とかわけがわからないことを言う男だ。俺はそれで本当にいいのか。溜息をつくと、ふふっと笑われた。

「好きな人のことを考えてるときって、みんないい顔するよね」

しまった。入間のことを忘れていた。

「いいよ、彼氏がいてもこうして会ってくれるんだから」

テーブルに置いていた手をそっとにぎられ、清居は冷たい笑顔で振り払った。

「いいなあ、清居くんのそういうクールなところにぞくっとするよ」

入間はたまらないという感じに眉根をよせた。入間といい平良といい、自分に好意を示すのはたいがいMっ気のあるやつだ。まあ平良と同列にされては入間も心外だろうが。

入間は広く顔の知られた俳優で、いうまでもなくイケメンだ。大人なので遊びもこなれている。なのに、平良に見つめられているときのように高揚しない。入間はちょっとした遊び心で清居を口説いているだけで、平良のような全身全霊感がない。

思い通りにならない男にむしゃくしゃして遊びにでてきたが、こうして他の男といると、自分が平良のなにに惹かれているのか改めて思い知らされる。親に構ってもらえずさびしかった子供のころの自分が、今でも自分の中にいる。馬鹿みたいに愛されたい。息苦しくなるほど自分だけを見てほしい。平良だけがそれを叶えてくれる。

——いいかげん、俺も覚悟を決めるか。

告白なんてものは勢いが大事だ。ちょうどいい感じに酒も入っている。よし、今夜のうちに言ってしまおうと清居はグラスのワインを一気に飲み干した。

食事のあと二軒目に誘われたが断り、平良の家に向かった。

電車が駅に近づくたび、落ち着かなさが増していく。好きだ。たかが三文字を口にすることがひどく難しいことに思われる。きっと言ってしまえばなんてこともないのだろう。考えながら歩いていたせいか、あっという間に家についてしまった。

とりあえず落ち着こう。何度か深く呼吸をし、がらにもなく緊張して玄関を開けると、大量の見慣れない靴が目に入った。リビングから大勢の声がもれてくる。

「平良？」

リビングをのぞくと、おしゃべりがぴたりと止まった。

「清居、今夜は自分ちに帰るってメールくれなかった？」

平良がいそいそと立ち上がり、こちらにやってくる。

「そのつもりだったけど、やっぱやめた。邪魔した？」

「大丈夫。あ、えっと、みんな大学のサークルの友達で」

平良が振り返ると、男ばかり八人が一斉に「こんばんは」、「お邪魔してます」とあいさつをしてくる。みな平良と似た雰囲気だが、清居の目はその中のひとりに釘づけになった。

小山《こやま》の弟がいる。向こうもこちらを見ている。つきあわないと言いつつ、ふたりは今でもつながりがあるらしい。小山のほうが先に頭をさげた。

「こんばんは。こないだはどうも。舞台楽しかったです」

周りから知り合いかと尋ねられ、清居はプロの俳優で、自分の兄が手伝っている劇団の舞台に清居が出演していたこと、平良の高校の同級生であることを小山は簡単に説明した。

「すげー、俺、生で芸能人見るの初めて」

「そういえば、ジュースのＣＭで見たことある」

みんなが「ＣＭ？」、「すげえ」、「サインください」とはしゃぎだす。うざいノリに憮然《ぶぜん》としていると、「プライベートだからやめようよ」と小山が軽く諫《いさ》めた。

「清居くん、ごめん、みんなもう結構酒入ってるから。今日は俺たち急にきたんだよ。平良がサークルやめるとか言うから、みんなで話聞きにきたんだ」

「そんなこと言わなくていいよ」

平良が言ったが、すぐにあちこちからツッコミが入る。

「なに言ってんだ。悩みでもあんなら聞いてやろうという俺らの優しさも知らず」

「うちは弱小サークルなんだから、やめるとかさびしいこと言うなよ」

なんとなく事情は呑み込めた。平良は平良なりに、小山の弟と距離を取ろうとしているらしい。告白のタイミングを邪魔されたのは残念だが、平良が少しはまともな感性を持ち合わせていることに安堵《あんど》した。

「最近、小山も元気ないんだぞ。おまえ、嫁に心配かけるなよな」

「嫁？」

思わず反応すると、「ああ、平良と小山は仲いいから」と軽く返ってきた。別におかしな意味じゃない。それでも気になってしまう自分が嫌だった。

ちらっと見ると、小山はひとり分のスペースを空け、よかったらどうぞと勧めてくれた。なんとなく嫁然とした態度に憮然としつつ、じゃあと腰をおろした。

「清居、ビールでいい？」

平良が腰を上げようとするが、「ああ、いいよ、俺がいく」と小山が平良の肩を押さえて立ち上がる。親しげな様子がさらに癪にさわる。しかし平良はごく普通に礼を言っている。ふたりの間ではこれくらいのスキンシップは珍しいことではないのが見て取れた。

――俺がさわったらびくびくするくせに……。

モヤモヤしていると、ビールやつまみを持って小山が戻ってきた。

「から揚げ出すの忘れてた。食器棚の皿勝手に使ったけどＯＫ？」

小山の問いに、平良がいいよとうなずく。

「高そうな皿ばっかりで、ちょっとビビったんだけど」

「叔母さんがそういうの集めるの好きみたいだな」

「ジノリの皿にコンビニから揚げのせられたって知ったら怒るかな」

証拠写真撮っておく？　と小山が携帯を構え、平良が馬鹿と手でレンズをかくす。自分に対するときとは違うフランクな対応に、清居はひそかに歯噛《はが》みした。手持ちぶさたにビールばかり飲んでいると、平良がから揚げの皿をこちらに差し出してきた。

「コンビニのだけど食べる？」

「いい。食ってきた」

「じゃあ小腹空いたら言って。お茶漬けでもおにぎりでも作るし」

「ん」

清居は一言でうなずいた。その様子を見て小山が首をかしげる。

「長いつきあいなのに、平良と清居くんって他人行儀だね」

小山は清居ときちんと目線を合わせた。

「友達っていうより、ご主人さまと下僕みたい」

「……は？」

あきらかな棘《とげ》を感じ、清居は目をすがめた。

「ごめん、ちょっとトイレ」

小山はさっさと部屋を出ていってしまい、清居は憮然とした。

「……ごめん」

平良が小声で謝ってきた。

「なんでお前が謝んだよ」

ぶすっと問うと、平良は困った顔で口を閉じた。

向こうに座っている友人が平良に話しかけ、平良がそれに答える。なんでもない光景におかしな焦りが生まれる。きもくて、うざくて、なにを考えているのかわからない変人。それが平良を知る人間の共通イメージだと思っていた。けれど、そうではなかった。大学の友人や小山と話す平良は、どこにでもいる普通のちょっとださい男だった。

――長いつきあいなのに、平良と清居くんって他人行儀だね。

――友達っていうより、ご主人さまと下僕みたい。

一番言われたくないやつに、気にしている部分をずばっと突かれてしまった。他人行儀。ご主人さまと下僕。自分でも否定しきれない言葉。清居はそろそろと手を伸ばし、テーブルの下で平良の手にふれた。びくりと平良がこちらを見た。

「な、なに？」

「別にいいだろ」

かくれて手をつなぐ。そんな小さなことでもいいから、なにかを証明したかった。

「みんないるよ？」

「ちょっとくらいいいだろ」

「でも……バレたら清居が恥をかく」

「男同士だから？」

「それもあるけど」

「けど、なんだよ」

「よりにもよって俺なんかと……」

またネガティブ俺さまか。しかし拒まれると余計に我を通したくなる。平良がさりげなく手をほどこうとするのを、力を込めてつなぎとめた。

「俺がいいって言ってんだからいいんだよ」

「いや、でも——」

こぜりあいをする中、ふと視線を感じた。いつの間にか小山が戻ってきていて、そちらに気を取られた瞬間、するりと手をほどかれてしまい、あっと思わず声が出た。

「……平良、恥ずかしがりだから」

小山がひとりごとのようにつぶやく。そちらを見たが、小山は清居と目を合わせないまま腰を下ろし、他の友人と話をはじめた。今のつぶやきは清居に向かってのものだろうが、あれじゃあ自分が強引に迫っているようじゃないか。事実そうだったのだが——。

じわじわと頬に熱が集まってくるのを感じ、清居は立ち上がった。

「稽古してくる」

「え、あ、清居」

清居は振り向かずにリビングを出た。あんなみっともない場面を、よりにもよって小山に見られるなんて最低だ。防音室に鍵をかけ、鞄から台本を取り出してページをめくる。とにかくセリフで頭をいっぱいにして、みっともない自分を救ってやりたかった。

どれくらい没頭していたのか。喉《のど》が渇いたので防音室を出ると、廊下はしんとしていた。台所から水を使う音が聞こえる。のぞくと平良が洗い物をしていた。

「あいつらは？」

声をかけると、平良が驚いたように振り返った。

「帰ったよ。終電だから」

台所の壁にもたれ、清居はふうんとつぶやいた。

「清居、今夜はごめん。サークルのやつら、うるさかっただろう。帰ってきてくれるなら断ればよかった」

「ここはおまえの家だろ。なんで俺に遠慮すんの?」

本当は、もうこさせるなと喉まで出かかっていた。サークルの連中はいいけれど、小山は嫌だ。でも嫉妬《しっと》しているみたいでやめた。実際嫉妬しているのだが、それを自分からぶちまけるのは嫌だ。そう思うのに拗ねた子供のようにむっと黙り込んでいる。

「ここは清居のための家だよ。俺が清居を最優先したいんだ」

平良は洗い物を中断してこちらにやってきた。平良は優しい。優しすぎる。自分を崇め奉《たてまつ》っている。それがいらいらするのだと、どう言えば伝わるんだろう。

「なんで俺にだけそんな風なんだよ」

「え?」

「サークルの連中や小山さんの弟と話すときは普通なのに、なんで俺にだけそんな丁寧なんだよ。俺にももっと普通に話せよ。冗談とか乱暴な言い方とかすればいいだろ」

「清居を他の人と一緒なんて無理だよ」

「けど、俺はそういうのがいらいらすんだよ。俺らってなんなんだよ。おまえ、馬鹿みたいに俺に気い遣って、こんなん友達じゃないだろ」

「……うん、友達ではないね」

平良は眉を八の字の形に下げた。

「かといって恋人でもないし」

「ありえない」

早すぎる否定に腹立ちの水位がぐんと上がった。

「なんだよ、その思いっきりの否定」

「え、だって」

平良がまばたきをする。まただ。『こいつ、なに言ってんの？』みたいな、こちらが的はずれなことを言っているような態度に腹が立ち、清居は一歩踏み出した。そのまま平良の首に腕を巻きつけ、強引にキスをした。

「うわ……っ」

平良が反射的に手をつっぱる。しかし離れなかった。思い切りきつくしがみつき、やけっぱちで舌を割り入れた。最初はためらっていた平良の手が、おずおずと腰にふれ、徐々に清居を抱きしめにかかる。ほら見ろと腹立ちとないまぜの安堵が湧き上がってくる。

「……おまえ、恋人じゃない相手とこんなことすんの？」

キスのあと、抱きしめられたまま至近距離からにらみつけると、平良は我に返ったように身体を離した。離すというより、突き飛ばされたと言ったほうが正しい。

「ご、ごめん、もうしないから」

「そんなこと言ってんじゃねえよ。俺はおまえが——」

好きだからと続ける前に、平良がうろたえて首を横に振った。

「ごめん、違う、今のは本当に俺がだめだった。清居は特別なんだ。さっきみたいなことの対象にするのは間違ってる。わかってるのについ流されて……」

清居は湧き上がるいらだちをこらえた。

「おまえの言ってること、意味わかんねえ。いっつもそれ以上のことしてるのに、なんでいまさら慌ててんだよ。口でするのはよくて、キスはだめって矛盾してるだろ」

平良は痛いところを突かれたというように唇を引き結んだ。

「……うん。清居の言うとおりだ。俺は最低だ。一回死ねばいい」

「そこまで言ってねえよ」

「でも俺は、昔から同じことばっかり繰り返してる」

「同じこと?」

「高校のときも、大学に入ってからも、清居を想像してした」

「なにを」

「…………」

平良は言いづらそうにうつむき、ああ……と思い出した。高校のときに自分を自慰に使ったと聞いたときはドン引きしたが、今は嫌じゃない。むしろ、どんどんやれとすら思う。

「男なら珍しくないだろう。俺は別にいいよ」

「俺は嫌だった」

はっきり言い切られ、「は?」と目を見開いた。

「したあとすごく嫌な気持ちになって、ほんと死にたくなった。もう二度としないって誓ったのに、結局こうして流されてる。やめようやめようと思っているのについ……。でもそういうのは本当にもうやめる。清居はそんなことしていい相手じゃない。本当にごめん」

頭を下げられ、なんともいえない気持ちになった。好きな男に、おまえとはしませんと謝られているのだ。好きすぎて——という理由だとしても、お断りされた事実は事実だ。

「……なんだよ、それ」

顔をしかめ、ぐしゃぐしゃと髪をかき回した。

「話すの下手でごめん」

そういう意味じゃない。平良はまたキングがどうとか、アヒルがどうとか、尼さんは神に一生を捧げるのだとか、わけのわからない話をしはじめた。とことん意味不明だが、自分とはけっして恋人にならないと言っていることだけはわかる。キスもそれ以上のこともしておいて、いまさらそれはないだろうと泣きたくなった。

「……おまえさ、俺がおまえのこと好きとか、考えたことないの？」

「え？」

おかしなものを見るような目で問い返され、怒りを通りこして力が抜けた。

「俺も勝手だけど、おまえも相当だよな」

自分は平良の特別だと思っていた。それは間違っていなかった。でも平良にとって大事なのは平良の中で作り上げた理想の清居で、現実の清居ではないことがようやくわかった。

「俺、百年かけてもおまえのこと理解できそうにないわ」

清居は防音室に引き返した。床に落ちていた台本を拾い、鞄に突っ込んで部屋を出る。まっすぐ玄関に向かうと、平良が焦って追いかけてくる。

「帰るの？」

清居は靴を履いて振り返った。

「もうこない。じゃあな」

「…………え」

「バイバイ」

呆然としている平良に背を向けた。

真夜中の住宅街を大股で突っ切っていく。もうこの景色も最後だなと思ったが、欠片《かけら》も惜しくない。ただただ悔しい。今すぐそこらの石にでもつまずいて頭でも打って、この一ヶ月くらいの記憶が消えてしまえばいいのに。そうなれば楽なのに。

自分から告白さえすれば、即恋人になれると信じていた。似合わない笑顔を作ったり、平良を萎縮させないよう言葉に気をつけたりしていた。そんな自分が恥ずかしかった。

駅へ着いてから、終電が出ていることに気がついた。くそっと舌打ちしてタクシーを待ったがなかなかこない。ひとけのない駅で身体を冷やすうち、ずきんと鼻の奥が痛んだ。唇をかんでこらえる。あんなきもうざのために泣くのはまっぴらだった。


平良からは何度もメールがあった。すべてが謝罪で、すべてが的外れだった。

自分が清居をふったとは、平良は思ってもいないんだろう。もう、それでいい。現実の清居を少しも見ずに、自分が勝手に作った理想の清居をいつまでも追いかけていればいいのだ。

そう思う一方、湧き上がってくるものもあった。

いじめに近いからかいをされても、パシリに使われても、平良は馬鹿みたいに自分だけを見つめていた。上っ面だけできゃあきゃあ騒ぎ、状況が変わると手のひら返しをする連中とは違って、清居が屈辱的な状況にいたときも平良だけが変わらなかった。

もっと時間をかけたら、なんとかなったんじゃないか。

自分が短気だったんじゃないか。

時間が空くと、ついそんな気弱な考えが頭をよぎり、いやいや、あんな気持ち悪い男はさっさと忘れようと、とにかく暇ができないよう動き回った。大学も真面目に通い、仕事もこなした。舞台の初日がもうすぐなので、毎日稽古があることもありがたかった。

それでも、ひとり暮らしのマンションに帰るとだめだった。風呂に入っているとき、食事をしているとき、ふとしたときに平良のことを思い出してどうしようもない気持ちになる。なんとなく実家に電話などしてしまい、母親に驚かれたくらいだ。

『どうしたの。奏《そう》から電話してくるなんて』

『別になんでもないけど』

電話の向こうで、『ごはん、おかわりー』と野太い声がした。誰だと思ったら、中学生の弟だと言われてびっくりした。最近声変わりしたらしく、そのことを楽しそうに話す母親にいらいらしてくる。じゃあなと途中で電話を切ると、気持ちは余計に落ちていた。

——清居は世界で一番好きな人だよ。

——ここは清居のための家だよ。俺が清居を最優先したいんだ。

平良の言葉を思い出して、今ごろどうしてるのかと考えた。もしかして小山の弟が訪ねてきているかもしれない。ふたりの親しげな様子を思い出して、勝手にいらいらし、布団を頭からかぶってふて寝した。

舞台は好評だった。四日間公演の最終日はスタンディングオベーションまで出て、百人程度の小屋だがみんなで手を打ち合った。清居も当初より増えたセリフもなんとかこなし、時間が空いたからと観にきてくれた事務所の社長に驚かれた。

「ちゃんと動いてるし、声も張ってるし、相当稽古してるのがわかったよ。いやあ、ここまでやり込んでるとは知らなかった。これならこっちの仕事増やしてもいいかな」

「ほんとですか」

勢い込む清居に、社長が腕組みでちらりとこちらを見た。

「でも厳しいぞ。ギャラも拘束時間もモデルと比べられないし、あと上下関係も厳しいから、今よりずっとお行儀をよくしてもらわないと困る」

「あー、すげえ苦手分野です」

「だろう。清居くん天然で態度大きいから」

否定できずに笑ってごまかした。しかし猫をかぶることはできる。よろしくお願いしますと頭を下げると、じゃあやってみようかとうなずいてくれた。

舞台後の興奮も併せて、久しぶりにスカッとした気分だった。仕事は一生のことだから焦って決める必要はない。けれど一歩進んだ感じはあった。最近ずっと平良のことで滅入っていたが、仕事は順調に回っているし先にも進んでいる。大丈夫だ。

終演後のあいさつやバラシも終わり、打ち上げに向かおうと裏口から出たところでどきりと立ち止まった。出口のすぐ脇に平良が立っている。とっさに目を逸らした。完全な無視を決め込み、みんなと話しながら通り過ぎようとしたが、

「き、きよ、い、き、き、き、き——」

みんなが驚いて振り返る。

「清居くん、知り合いなんじゃない？」

清居は内心で舌打ちをした。こうなったらしかたない。みんなには先に行ってもらい、ふたりきりになると、平良が恐る恐る紙袋を差し出してきた。

「……荷物を」

紙袋の中には、清居のシャツや歯ブラシなどが入っている。こんなものをわざわざ持ってくるな。どこまで無神経なんだ。痛む気持ちを見透かされないよう、奪うように受け取った。

「サンキュウ。じゃあな」

さっさと踵《きびす》を返した。

「待って……っ」

「まだなにか用かよ」

ゴミを見るような目で振り返った。

「俺が悪いことしたなら謝るから――」

「謝らないでいいから、もうつきまとわないでくれ。すっげえ迷惑、きもい」

平良が泣きそうに顔を歪《ゆが》めてうつむいた。これで終わりだなと思ったが、

「……俺だって、そうしようと思ったよ。思ったけど」

平良が顔を上げた。

「高校卒業したときできたんだから、もう一回あのときみたいにあきらめよう、忘れようって思った。でもだめだった。一緒にご飯を食べたり、話をしたり、こんなに近くなったあとで、いきなりさよならって言われても忘れるなんてできない」

それはこっちの言いたいことだと喉まで出かかった。

「俺はもう、おまえとかかわりになりたくないんだよ。メールも電話もすんな。出待ちもするな。舞台も観にくるな。おまえの姿が視界に入るのが嫌なんだ」

忘れたいのに、いつまでも周りをちょろちょろされるなんてたまらない。

「じゃあな。二度と俺の周りをうろつくなよ」

行こうとすると、待って、と腕をつかまれた。

「せめて、どうしてそんなに怒ってるのか理由だけでも教えて。直すから、清居が嫌なこと全部清居のいいように直すから、お願いだから」

「もう会わないいんだから、知っても同じだろう」

「会えなくても、清居の嫌なことはしたくないんだ」

平良は必死の形相で清居だけを見つめる。ご主人様に捨てられそうな犬みたいな目をしている。この目に自分はやられたのだ。そしてこんなことになっている。もう嫌だ。

「離せよ！」

思いきり振り払った。

「そんな必死なふりしてても、どうせおまえは現実の俺のことなんか見ないんだろう。おまえの理想のアイドルごっこにつきあわされるのはもうまっぴらなんだよ」

「アイドルごっこ？」

「そうじゃねえか！」

紙袋を思い切り平良に投げつけた。整髪剤や歯ブラシやシャツ、中身が路上にばらばらと投げ出される。裏口の細い路地で、人通りがないことが幸いだった。

「おまえが好きなのは、おまえが勝手に作った理想の俺だろう。なにがキングだ。ふざけんなよ。俺はそんなんじゃねえんだよ。普通なんだよ。好きになった相手とはつきあいたいし、さわりたいし、さわられたいし、デートとかもしたい普通の男なんだよ」

「……清居、好きな人がいるの？」

ショックを受けたような顔をされ、もう泣きたくなった。

「おまえだよ！　いまさら聞くな！」

その瞬間の平良の顔は一生忘れられない。

ぽかんと馬鹿面を下げて、ここまでくると喜劇だ。

「……嘘だろ?」

「なんでこんなことで嘘なんかつかなきゃなんねえんだ」

「か、からかってるとか?」

瞬間、殴ってやりたくなった。

「おまえみたいなめんどくさいやつからかうほど俺は暇じゃない」

「でも……」

「卒業式の日、俺からキスしただろうが。自覚してなかったけど、俺はずっとおまえが好きだったんだよ。だからおまえからの連絡待ってたし、電話番号変えられたって知ったときの俺の気持ちがわかるかよ。あんなに好き好き言ってたくせにって、もうわけわかんねえよ。そんなときに小山さん経由でおまえが小山さんの弟とつきあってるって知って、殴ってやりたいほど腹が立った。俺が出る舞台に、おまえがくるよう仕向けたのも俺だよ」

改めて言葉にするとひどいものだった。でももう止まらなかった。

「……なんで清居が俺なんかのこと」

「そんなん俺が聞きてえよ!」

本当に聞きたい。どうしてこんな気持ち悪いやつが好きなんだ。今すぐ高校生のころまで戻って、こいつにだけはかかわるなと当時の自分に言ってやりたい。

「ほんと、わかんねえ。最初に好きだとか言いだしたのはおまえなのに、なんでこんなことになってんだ。おまえと小山さんの弟が仲良くていらいらしたり、俺がきついから悪いのかなとか思ったり、じゃあ優しくしようってきもい笑い方したり、自分からくっついたり」

うつむくと、自分の足先がぼんやりとにじんだ。

「キスもするし、それ以上のこともするのに、おまえとは恋人にならないって言われたやつの気持ち、おまえにわかんのかよ。平良のくせにふざけんな。おまえなんか死ね！」

「……清居」

恐る恐る手が伸びてきて、払いのけた。

「もう俺にかかわるなよ。おまえが理想の俺を追っかけるのは勝手だから好きにしてくれていい。けど現実の俺のことは放っておいてくれ。ほんと、もう勘弁してくれよ。忘れようとしてんのに、無神経にズカズカ視界に入ってこられると忘れられねえんだよ」

我慢しきれず、ぼたぼたと涙が足元に落ちた。まさか平良に泣いてお願いする日がくるとは思わなかった。でももう降参だ。自分の負けでいいから、もうさわらないでほしい。

「……そうだね、俺なんかに清居の気持ちはわからないよ」

ぼそりとしたつぶやき。どんな言い草だ、と無神経な男をにらみつけようとして、驚いた。

平良は怒っていた。

「でも、清居にだって俺の気持ちはわからないよ」

そう言う平良の目はわずかに吊り上がっている。こんな平良は初めて見る。

「口を開いたら吃音のせいで嗤《わら》われて、三角形の一番下で踏みつけられて、家族で夕飯食ってるとき、いじめで自殺とかいうニュースに思いっきり共感しそうになって、慌ててだめだめって引き返すみたいな俺の気持ちなんか、清居にはわからないよ」

清居は言葉に詰まった。一時期、自分が平良にしていたことを思い出して胸がぐうっと苦しくなる。平良もそこが痛むかのように、自分のシャツの胸あたりをぎゅっとにぎりしめた。

「俺にとって清居は憧れの塊なんだ。全然優しくないし、いい人でもないし、自分勝手で、でもそういうの全部含めて、清居は俺を救ってくれた」

「……救った？」

「俺が城田《しろた》を殴ったときのこと覚えてる？　ずっと底辺ぼっちで、でもそういう自分を嗤うことで他人事《ひとごと》にしてごまかしてた。どんな汚れた場所に放り込まれても、動じず流れに任せるアヒル隊長みたいであれって……。城田を殴ったのは俺の初めての抵抗だったんだよ。あのとき俺は自分を救えた気がした。そういうの、全部、清居のおかげなんだ」

平良がなにを言っているのかよくわからない。自分はいつだって自分のやりたいようにやっているだけで、誰かに『救われた』なんて言われるほど偉いことをした覚えがない。そういうのは、善意とか優しさからしか生まれないと思っていた。けれど平良の世界は、そういうわかりやすいものではないところで回っているらしい。

「俺は、清居の全部が好きで、好きで、たまらなくて、もう神さまみたいなもので、そんな風に思ってる人に、自分の手が届くなんて思ったこともなかったよ」

ああ、そういう言われ方をしたらわかる。自分だってキリストや仏陀《ぶつだ》と友達になれるとは思わない。多分、こいつが言ってるのはそういうことなんだろう。

「……でも、俺は神さまじゃねえよ」

そう言うと、平良はゆっくりとうなずいた。うん。うん。何度もうなずきながら、なにかをかみしめるような、なにかを耐えるような複雑な顔をしている。それから清居を見た。

「……俺、清居にさわってもいいのかな？」

平良はまだ不安そうに聞いてくる。

「今までと同じなら、嫌だ」

そう言うと、平良の表情がほろりとほどけた。

「清居がいいなら、恋人みたいにさわりたい」

じわりと鼻の奥が痛くなった。一旦止まっていたのに、またやばい。

「だったら、いいけど……」

ふんと鼻を鳴らすのが精一杯だった。泣き顔を見せたくなくてうつむくと、恐る恐るという感じで平良の手が伸びてくる。震える指先がシャツにふれて、ゆっくり自分を抱きしめる。平良から抱きしめられたのは初めてで、それだけで頭の奥が痺れるほど幸せなのが癪だった。

「打ち上げ行かなくて本当によかった?」

もう家まで帰ってきたのに、平良がそんなことを言う。

「気になるなら戻るか?」

問うと、嫌だときつく抱きしめられた。玄関で靴を脱いでいる途中だったので、よろけて床に後ろ手をついた恰好のまま、崩れるように押し倒された。

「お、おい、ちょっ——」

体重をかけたキスで清居の抵抗を封じ、大きな手が性急に身体をまさぐってくる。断るつもりはないがいきなり、しかも玄関でやるのかと焦った。

「平良、せ、せめて部屋とか」

「ごめん、我慢できない。……どうしよ、俺、おかしい。ずっと我慢してたけど、本当はふれたくてふれたくてたまらなかった。だからこれ以上は無理。待てない」

荒い呼吸で耳元にささやかれ、ぞくりと甘い疼《うず》きが背筋を走っていく。激しく舌を吸われ、足の間を探っていた手が、無遠慮に下着の中に入ってくる。しっかりと反応しているものをにぎり込まれ、びくりと身体がすくんだ。

「……んっ」

狭い下着の中で、張りつめたものを荒々しく扱われる。最初から飛ばしてくる。たまに引きつれて痛い。なのに萎えない。いつも遠慮の塊だった男の乱暴な動きが新鮮で、逆に興奮をかき立てられる。荒い息遣いに、くちゅりとぬめった音がまじり出した。

いつもはこんなに早くこない高みがすごい速さでやってくる。

「……ちょっと、離せ……っ」

このままじゃ下着を汚す。

「嫌だ」

のめり込むように首筋にくちづけてくる。きつく吸われたところから、耐えがたいほどの熱が広がっていき、それは真っ逆さまに下腹に落ちた。

──あ。

きつく目をつぶったと同時、平良の手の中で快感がはじけた。どくりと脈打つたび、ひきつれた声がもれる。全てを吐き出したあと、じわじわとこわばりがほどけていく。ぐったりと弛《し》緩《かん》している清居に平良がくちづけてくる。息を乱したまま、自分からも腕を回した。

「……下着ん中、気持ち悪い」

密着している足の間で、濡れた下着が肌に貼りついて気持ち悪い。

「お風呂、入る？」

「……ん」

「じゃあ、お湯ためてくる」

「シャワーでいい。一緒に入ろう」

「い、いいの？」

「……離れたくないし」

ぎゅっとしがみつくと、平良は感極まったように「……うん」と声を震わせた。

脱衣所で服を脱ぐ間にも、平良はキスをしたがった。これじゃあ脱げないだろうと文句を言いつつ、嬉しいので清居からも積極的に応えた。

「これじゃいつまで経っても風呂に入れないな」

「俺は一日中だってこうしてたい」

うっとりとしたつぶやき。平良の目は夢を見ているみたいにぼんやりしている。間抜けな顔だ。なのに、それが自分のせいだと思うとニヤけてしまう。もう一度自分からキスをして、ようやく風呂に入っても、どしゃぶりみたいなシャワーの下で飽きずに抱き合った。

ほんの少し身をよじるだけで互いのものがこすれあい、ぬるい刺激に身体も気持ちもどんどん高ぶっていく。シャワーの雨に打たれながら、平良の手が腰から背後に流れていく。

「……んっ」

後ろの窄《すぼ》まりにふれられ、びくりと腰が引けた。

「ここは嫌？」

「そうじゃないけど……」

男同士なのだからそこを使うのは知っている。しかし、どうしても羞恥が先に立つ。

「嫌なら、無理にはしないから」

気遣われると余計に恥ずかしくなる。こういうときは多少強引なくらいが助かるのに。嫌じゃないと小さな声で答えると、耳元にくちづけられた。

「なるべく優しくするから」

そう言うと、平良はいきなり清居の身体を反転させた。タイルに手をつく恰好で立つ清居の後ろで平良がしゃがみこむ。

「な、なにして……あっ」

尻をぐいと左右に割られ、短い悲鳴が飛び出した。さらされた後孔に柔らかくて熱いものがぺとりと貼りついてくる。それが舌だとわかった瞬間、全身が硬直した。

「や、やめ、それ……っ」

「入れるとき、かなり痛いらしいから」

「で、でも、こんなの……んんっ」

生き物みたいな舌が、自分でもふれたことのない場所でぐねぐねと動いている。恥ずかしすぎて言葉が出てこない。まさかこんなことをされるとは夢にも思わなかった。

じわじわとほぐされていく感覚が気持ち悪い。必死でタイルに爪を立てても、濡れているのでつるりと滑ってしまう。ときおり尖《とが》った舌先が内側に入り込もうとしてくる。

「……や、そんなの、するな……」

「痛い？」

「ちが……っ、恥ずかしいから……」

「大丈夫だよ。清居のここはピンク色ですごく綺麗だ」

死ね、と叫びそうになった。そんな場所を褒められてもなにも嬉しくない。しかし怒る余裕もない。平良の舌がぐっと圧力を高めてくる。あ、あ、と頼りない声が出てしまう。

「……やっ、やだ、あ、ああ」

ついに中にもぐりこまれてしまった。半べそになっている清居に気づかず、平良の舌はそこを執拗《しつよう》にほぐし続ける。途中で幾度も唾液《だえき》を注ぎ足され、潤みきった場所にふいにしっかりとした質感のものが入ってくる。指だった。

「……くっ、う」

そこがひくりと息づいて、待ち構えていたように平良の指を食いしめた。

「痛かったら言って」

やんわりと指が動き出す。痛くはない。それほどしっかりと蕩かされたのだ。けれど痛みがない分、自分がされていることが克明にわかってしまい、そちらのほうがつらい。

中で指を折り曲げられる狭い場所を広げるような動きに、身体の内側からじんわりと熱の波紋が広がる。快感というには足りなくて、ただただ熱い。

途中で指を増やされ、異物感が増してわずかに気持ち悪くなる。内臓に直接ふれられる不快感。指でこれなら、男のあんなものを入れられたらどうなるんだろう。

「ひ、あっ」

それは不意打ちでやってきた。

「ごめん、痛かった?」

平良が慌てて指を抜く。気遣うように再度「痛い?」と問われ、よくわからなくて首を横に振った。一瞬、電流を流されたみたいに頭のてっぺんから爪先まで痺れたのだ。

「い、痛いとかじゃない……気がする」

「もしかして、気持ちよかった?」

答えないでいると、ゆっくりとまた指が入ってくる。指がさっきの場所をさがしている。なんだか怖い。じっと不安に耐えていると、またそれがやってきた。

「……っあ、あ、や、やだ、そこ」

そこをかすめられるたび、びりびりと強烈な痺れに襲われる。清居が知っている『気持ちよさ』とはあきらかに種類が違っていて、どう対処していいのかわからない。痛がっているわけではないことが伝わってしまったのか、そこへの責めが激しくなった。

「い、いや、そこ、やめ……っ」

「でも、こんなになってる」

前に回ってきた手が性器をにぎりこむ。さっきまで力をなくしていたそこは、再び勃《た》ち上がっている。ゆっくりとこすられ、ぬるぬるとすべる感覚に切ないくらいの快感が生まれる。

「あ、あ、ああ……っ」

後ろを責められながらの愛撫に、大量の先走りがこぼれる。やんわり絞るような動きと一緒に、くちゅっと淫靡な音が立つ。前も後ろも気持ちよくてぼんやりしてくる。

「や、やだ……、これ、も、おかしくなる……」

「やめる？」

意地悪ではなく、清居の返事次第では本当にやめてしまいそうな問い方だった。感じすぎて苦しい。でもやめてほしくない。だから強引にでもしてほしいのに。

「……続けて、いい」

「無理してない？」

そんなことを何度も聞くな。してない、と蚊の鳴くような声でつぶやいた。じゃあ……と浅い場所で指を曲げられ、腰骨まで響くような快感に背がしなった。

「気持ちいい？」

「わざわざ……、聞くな……っ」

「でも、痛いんだったらかわいそうだ」

この野郎と心の中で罵《ののし》った。ここまできたら嫌がらせだ。

「き、気持ちいい、いいから……もっと……」

半泣きでお願いすると、浅い場所で指が抜き差しを繰り返す。ひどく敏感になっている場所をこすられ、声が止められなくなった。前への愛撫も続いていて、先端の小さな孔からあふれた先走りが糸を引いてタイルに滴り落ちる。じわじわと限界が近づいてくる。

「あ、あ……っ、も、い、いく……っ」

二度目の高みが見えはじめる。タイルに手をついて、尻だけを突き出す恰好で自分からねだるように腰をゆすった。恥ずかしい。なのに我慢できない。最後の大きな快感を受け止めようと全身が硬直する。しかし、ぐっと性器の根元をにぎられた。

「……っ？」

寸前だった快感をせき止められ、なにが起きたのかわからなかった。快感の尾を必死で探していると、後ろから抱きしめられた。うなじにくちづけられ、ぞくりと背筋がしなった。

「少し我慢して。今度は清居と一緒にいきたい」

射精を制限されたまま、指先で蜜をこぼす鈴口をいじられて死ぬかと思った。

足に力が入らない清居の身体を、平良が拭いてくれた。下肢を拭かれながら、いやらしく勃《ぼっ》起《き》したままの性器を口内に含まれる。いかせてもらえるのかと期待したが、飴玉をしゃぶるような焦らすような口淫が続き、あまりのもどかしさに不覚にもぼろぼろと涙がこぼれた。

「も、やだ……、これ以上は無理」

みっともなくひしゃげた口調で訴えると、平良が驚いて立ち上がった。

「ごめん、泣かないで、そんなつもりじゃないんだ」

そんなつもりってどんなつもりだ。平良のくせに自分を泣かせるなんて。殴ってやりたかったが、そんな余力もなくてくたりと平良にしがみついた。


ふらふらの清居を担ぐようにして、平良は二階の自室に向かった。もつれるようにベッドに倒れ込むと、平良がベッドサイドのあかりをつける。

「……つけんなよ」

まぶしいのと恥ずかしいのとで、清居は目をすがめた。

「ごめん。でも全部見たい」

平良が覆いかぶさってくる。甘い声にじりじりと胸を焦がされ、了承の代わりに唇を軽く突き出してキスをねだった。平良の前髪から、ぽたぽたと水滴がたれてくる。

「冷たい」

「拭いてこようか」

「いい、これ以上待たせんな」

甘えるような言い方になってしまい、平良が嬉しそうにほほえむ。もう一度深いキスを交わしたあと、平良が身体を起こして洗面所から持ってきたベビーオイルを開けた。舞台後のドーラン落としに清居が持っていたものだ。まさかこんな形で役に立つとは思わなかった。

「足、開いて」

いまさら恥ずかしさがぶり返してきた。平良のほうを見ないよう顔を背け、そろそろと足を開いていく。ひどく高ぶったまま、先走りをこぼす中心をさらすのが恥ずかしい。

ぬめる液体をまとった手でふれられ、びくりと腰が揺れた。根元から先端まで茎をたっぷりと濡らされ、そのまま下にすべり込み、双果をこすり合わせるようにもみ込まれる。

「……そこ、も、いいから……っ」

そう言ったことで、手はもっと恥ずかしい場所にもぐりこんでいく。さらに大きく足を広げられ、背後にゆっくりと指が入ってくる感覚に息をつめた。何度もオイルをつぎ足され、ときおり弱い部分をかすめられ、せき止められていた快感がぶり返す。

「……ん、くっ」

いきそうで、いけない。もっと強くふれてほしいと思うたび指がそれていく。無意識に腰がよじれてしまい、痛いほど反り返った先端からぽたぽたと先走りがこぼれる。

「平良……もう……、早く……」

訴える声がとろとろに崩れている。湯あたりしたようにぼうっとしている清居の中からようやく指が出ていき、代わりにひどく張りつめたものがあてがわれる。

ぐっと押しつけられる感覚に、あ、と押し出されるような声がもれた。ゆっくりと圧がかかり、そこが口を開けていく。痛みはない。けれど圧迫感に短い息を何度も継いだ。

「……大丈夫？」

薄く目を開けると、ひどく苦しそうな平良と目が合った。

「おまえもな」

「俺は……嬉しくて死にそうだよ」

吐息交じりに眉根をよせる。苦しそうなのに嬉しそうで、自分も似たような顔をしているんだろうなと思うと照れくさくなった。額やまぶたや鼻の頭にキスが降ってくる。平良のささやかな動きにも、自分の身体がつられてよじれる。しっかりとつながっているのを感じる。

「……夢だったらどうしよう」

唇を合わせたまま平良がつぶやく。不安そうな表情にあきれた。こんなにしっかりつながってるのに、夢だったらこっちが困る。

「馬鹿なこと言ってないで……早く動け」

肩口に甘くかみつくと、頭ごときつく抱きしめられた。

軽く揺さぶられ、一旦落ち着いていた疼きがよみがえる。そろそろと腰を引かれ、ゆっくり入ってくる。嫌というほど蕩かされたので痛みはなく、圧迫感すら徐々に快感に上書きされていく。抜き差しされる道筋にたまらなく感じる場所があって、そこをこすられると頭の芯まで熱くなる。じわじわと体温が上がって息苦しい。なのにそれ以上もっとほしくなる。

「……ごめん、ちょっと抜いていい？」

快感に浸る清居の耳元で、平良が苦しげにあえいだ。

「……馬鹿、こんなときに冗談……」

「けど、中に出したらまずいし」

えっと目を見開いた。始めて間もないのにもう？

「……清居の中、気持ちよすぎる」

とぎれとぎれの訴え。切羽詰まっているのは見て取れた。けれど散々じらされたあと、こんな状態で抜かれるなんて蛇の生殺しだと平良の腰に足を巻きつけた。

「……ちょ、ほんと、もう出るから」

「いいって」

「でも」

「いいから、もう中に出せよ」

しがみついたまま訴えると、あ、と平良が動きを止めた。放出の快楽にきつく眉根をよせる平良を見上げながら、じわりと熱いものが自分の中に広がっていくのを感じた。

大きく息をついて、糸が切れるように平良が倒れ込んでくる。

「……ごめん、すごいこと言われて我慢できなかった」

真夏の犬みたいに息をはずませ、キスをねだってくる。大きな手がべたべたと頬や首筋を這い回り、どしゃぶりみたいに降ってくるキスに揉《も》みくちゃにされた。

「清居、好きだ。好きだよ。もう、おかしくなりそうだ」

つながったまま、放ったものを塗り込めるように中をこすられて身体がよじれた。達したはずなのに、平良のものは少しも萎えていない。気持ちよすぎて頭がぼうっとしてきた。

「っん、あ、平良……っ、俺も、もういく」

首にしがみつくと、応えるように結合が深くなる。激しく揺さぶられて、さっきからずっと我慢していた快感のメーターがあっけなく振り切れた。

「……っ、ちょっと待った、ちょっ……あ、ああっ」

達している最中なのに、揺さぶりはますます激しくなっていく。放たれた液体が、密着した肌の隙間でぐちゃぐちゃと音を立てる。どうにかなってしまうんじゃないかと思うほど気持ちよくて、必死で押し返したが力が入らない。

「ひ、平良、だめだ、やばい、も、やばいから」

「嫌？　本当に嫌ならやめる」

そう言うくせに、あらがう清居の両手首をシーツに縫い止め、平良は腰の動きを複雑なものにする。この野郎、ふざけんな。そう怒鳴りつけてやりたいほど気持ちいい。気持ちよすぎてつらい。もっとしてほしい。頭も体もぐちゃぐちゃで、もうわけがわからない。

「……清居、好きだよ。死ぬほど好き。清居は？」

好きに決まってるだろう。好きじゃなきゃ、こんなこと誰がさせるか。そう言いたいのに言葉にならない。ただ喘がされて、キスばかりを繰り返した。


目が覚めたとき、誰かにすっぽり包まれるように抱かれていた。この腕が平良のものだと理解したと同時、昨夜の記憶がよみがえった。頭の中を渦巻く淫らな映像。羞恥に全身をこわばらせていると、ごそりと平良が動いた。

「……清居、起きてるの？」

平良も目を覚まし、清居は上へと這い上がって腕の輪からすぽりと顔を出した。

「お、おはよう」

平良がぎこちない笑顔を浮かべる。

「……おう」

清居もこわばった笑顔で応えた。気恥ずかしすぎて頬が引きつる。

お互いそれきり黙り込み、朝の明るい室内に沈黙が漂った。

「……もしかして、怒ってる？」

平良が聞いてくる。

「なんで怒る理由があるんだよ」

「なんとなく」

「なんとなく？」

「昨日、しつこくしたから怒ってるのかなと」

その言葉に、自分がさらした痴態を隅々まで思い出して耳まで熱くなった。

「ごめんね。清居があんまりかわいくて、つい」

「それ以上言ったら、本当に怒るぞ」

照れのあまりにらみつけると、平良はじわじわと目元を染めていった。

「……どうしよう、俺、死にたくなってきた」

「は？」

「清居がかわいすぎて、もう死にたい」

「かわいいって言うな」

耳まで熱くなり、シーツの中でけっ飛ばしたが平良はひるまない。

「キスしていい？」

ずりずり顔をよせられ、嫌だと背中を向けた。すると後ろから抱きしめてくる。うなじにキスをされ、ぴくりと身体が震えた。でも顔が見えないからまだ耐えられる。

「……夢だったらどうしよう」

「おまえ、昨日も同じこと言ってたぞ」

「だって本当に信じられない。もう死にそうだ」

「そんな簡単に死んでたまるか」

「それくらい幸せだってことだよ。でもそうだね。やっぱり死ぬのは嫌だ。清居とこんな風になれたのに死にたくない」

「どっちなんだ」

「……すごく好きってことだよ」

幸せを呑み込めないみたいに平良が吐息する。うなじに唇をくっつけているのでくすぐったい。身をよじっても離してもらえなくて、甘ったるく拘束されたまま目に映る部屋を眺めた。

何度もこの家に出入りしていたのに、平良の部屋に入るのは初めてだった。清居がいるとき平良はずっと下のリビングにいるし、清居はもっぱら一階の客間を使っていた。

部屋の主そのままにださい部屋だ。ベッドの向かいには味もそっけもない本棚やカラーボックス。本棚は木目調なのにカラーボックスは白。ちなみにベッドは黒のパイプ製で統一感がまるでない。しかし勉強机に飾ってあるガラスの貯金箱はなかなかセンスがよかった。

「あれ、化学室にあったやつか」

なんとなく聞いてみた。底の丸いフラスコ型で、どうやって立っているのか不思議な形をしている。授業で使っていたフラスコは、倒れないよう支えるための台があった。

「お祖父《じい》ちゃんの遺品。綺麗だから使ってる」

「遺品を貯金箱にしてんのか」

「貯金箱じゃなくて、あれは宝物箱」

「おまえの宝箱は小銭なのか？」

　やっぱり変わったやつだと思ったが――。

「うん、清居からもらったものだから」

「は？」

「高校のとき、清居に頼まれて購買に買い物行ってただろう。そのとき清居がくれた小銭をずっとためてたんだよ。清居の手を通過してきたものだし、他と混ぜられない」

「…………」

　どうしよう。ドン引きしてしまった。

「なんで俺、おまえみたいなきもいの好きになったんだろう」

「え、嫌いになったの？」

　平良が焦って聞いてくる。ああ、うざい。

　でも困るのは、ドン引きしても、少しも平良を嫌いになっていないことだ。自分のためにそんなきもいことをする男がかわいい。かわいいけどきもい。このループはこの先も続いて自分をうんざりさせる気がする。後ろでは平良が「もうためないから」と言っている。

気持ち悪い戯言《たわごと》を、清居は複雑に甘い気分で聞いていた。

月齢14

渋谷《しぶや》から表参道《おもてさんどう》は恐怖のエリアだ。なるべく目立たないよう、せめて汚く見えないようにというコンセプトで服を選ぶ平良《ひら》とは根本から相容《い》れない人種がやまもり歩いている。

「うつむくなって言ってんだろう。なんですぐ猫背になんだよ。胸を張れ」

隣を歩く清居《きよい》に叱《しか》られ、平良はおずおずと顔を上げた。

「……な、なんか俺だけ場違いな感じで」

「大丈夫だ。今日のおまえはいつもの十倍マシだ。ほら、前からくる女もおまえを見てる」

さらさらとした髪をなびかせた女の子ふたり連れが、すれ違いざま、ちらりと平良を見て笑い合った。きんもーという嘲笑《ちょうしょう》が聞こえたようで（実際にはそんな声は聞こえなかったが）平良はさっと顔を伏せ、「だからうつむくなって」とまた清居に叱られた。

やっぱり断ればよかった……と後悔しても後の祭りだ。

飲み会があるからおまえもこいと清居に誘われたのは先週だった。メンバーは清居の友人のモデルや女優で、平良は三秒でお断りした。そんな派手な人たちの中で、自分なんかがなにを話せばいいのか。話すどころか存在するだけで場のランクを落としそうだ。

「けどおまえ、舞台の打ち上げとか普通にきてたじゃん」

「あれは必死だったから」

高校を卒業して接点がなくなり、生の清居を拝めるのは舞台くらい。それを思いがけず打ち上げに誘ってもらえた興奮で我を失い、たとえるならバーサーカー状態だったのだ。誰も知り合いがいない飲み会にひとり参加なんて、頭がバグを起こしていたとしか思えない。

「……ふうん。じゃあ今は必死じゃないのか」

「えっ」

「釣った魚に餌《えさ》はやらないってやつか」

──オマエナンカ、イツデモ捨テテヤリマスケド、ナニカ?

と意訳できそうなほど冷たい目を向けられ、平良はぶるぶると首を横に振った。

「い、行くよ。死んでも行くから」

そう言うと、清居はようやく笑ってくれた。そしてとんでもないことを言った。

「じゃあ、その前に服でも買いにいくか」

頭のてっぺんから、さあっと血の気が引いていくのを感じた。

そして飲み会の今日、昼から清居と『お買い物』をしに、清居の気に入りのショップに連れていかれた。おしゃれが爆発しているような店にいる客も店員も当然みなおしゃれで、そんなところにださださ大学生御用達風なファストファッションのチェックシャツとチノパンという恰好で行った自分は容赦のない蔑《さげす》みの目にさらされ、おしゃれという名のライフルを構えたおしゃれスナイパーたちに蜂の巣にされているような気分だった。

上から下まで完璧にコーディネイトされたあと、着ていたチェックシャツとチノパンと靴は店の紙袋に黒歴史みたいに厳重に封印され、やっと終わったとホッとしていたところを清居が通っているサロンに連行された。あそこは服屋より一層ひどい地獄だった。

平良はずっと地元の床屋に通っている。小学生から通っているので「いつものように」という一言でこと足りる便利な店だ。しかし連行されたサロンでは、またもやおしゃれが大噴火している美容師にまずカウンセリングからと言われ、心療内科かとびっくりした。

普段どんな服を着ているのか、どんな髪型にしたいか、パーマはかけるか、カラーはどうするか、スタイリングは得意なほうか。うつむいて石化している平良の代わりに清居が全部答えてくれたが、すべてが終わるまで三時間もかかった。地元なら三十分なのに。そういえば途中で飲み物はなにがいいかとメニューを渡され、ここは何屋なんだと再度びっくりした。

苦行のようだった半日を思い出して溜息《ためいき》をついたときだ。

「……なんだよ」

清居がぼそりとつぶやいた。

「さっきから溜息ばっかつきやがって。俺だって色々考えてやってんのに」

清居の美しい薄い唇がアヒルみたいに尖《とが》っている。これはいけない。

「違うよ、清居の気持ちはすごく嬉《うれ》しい。プロのモデルから指南を受けたんだし、俺みたいなのでもちょっとはマシになった……ような気がしないでもないみたいな感じだけど」

最後はうにゃうにゃとごまかした。正直、自分みたいなのがおしゃれをしたって、キモブサが勘違いしてんなよと余計嗤《わら》われるだけなのですごくいたたまれない。今日一日で十年くらい寿命が縮んだ気がするし、今からまだ飲み会があると思うと気が遠くなる。でも清居のためならがんばれる。おしゃれスナイパーに撃ち殺されてもいい。

「マシどころじゃない。別人だ」

平良の悲壮な決意も知らず、清居はどこか嬉しそうに言った。

「おまえは背も高いし、腰の位置も高いし、ちゃんと似合う服着て、髪型も変えたらかなりイケてんだよ。どんだけ顔がよくてもスタイル悪いと決まらないからな」

「慰めてくれてありがとう」

「慰めてないし。つか顔だって悪くない。前に小山《こやま》さん、あ、兄ちゃんのほうな——も、おまえの顔は味があるって言ってたぞ。目に迫力があるって劇団の女の人も言ってたし」

「演劇する人って変わった人が多いから」

苦笑いを浮かべると、いきなり脛《すね》を蹴っ飛ばされた。

「どこまでネガティブだ。普段はともかく、今日のおまえは恰好いいんだよ」

「……そんな」

「俺がお世辞を言うと思うか」

「思わない」

「じゃあ俺を信じろ。今のおまえはちょっと惚《ほ》れ直すくらいイケメンだ」

「ほ、惚れ直す?」

興奮してデュフフッと気持ち悪い笑いをもらしてしまった。清居がハッと目を見開く。

「今のは嘘だ。やっぱきもい。平良のくせに調子にのるな」

ジャイアンみたいなことを言い、清居は大股《おおまた》で先を歩き出した。

その後ろを、平良は従順な犬のようについて歩いた。

清居と恋人同士になって一ヶ月が経つが、いまだまったく慣れない。朝起きたときに清居が隣に眠っていると、一瞬、びくっとしてしまう。すぐに自分たちがつきあっていることを思い出すのだが、なんだか夢を見ているような、というか壮大なドッキリ感がぬぐえず、今のうちに……と息をひそめて清居の美しい寝顔を盗むように見つめてしまう。

今も前を行く清居の後ろ姿を、公認ストーカーみたいにうっとり眺めている。ほっそりとしているのに貧弱には見えない肩から背中のライン。信じられないほど長い手足が、歩くたびに優雅に動く。高校生のころから憧れて、焦がれて、神さまに一生を捧げる尼僧のような心もちで想っていた。その相手と恋人になれたなんて、恐ろしさすら感じてしまう。

人の幸せの量はあらかじめ決まっているという説がある。だとしたら、自分の人生はこの先不幸しかないのかもしれない。清居にふられるとか、清居に嫌われるとか、清居に先立たれるとか。そうなったらどうしよう。生きていられないかもしれない。死ぬのだろうか。

「おい」

ふいに呼ばれた。顔を上げると、不気味そうにこちらを見ている清居と目が合った。

「うつむいてなにぶつぶつ言ってんだよ。生きていけないとか死ぬとか」

「ああ、ちょっと清居に先立たれたことを考えてて」

「…………きも」

清居は心底嫌そうにつぶやいた。


とても華やかな飲み会だった。モデルや役者ばかり十人ほど、テレビでよく観る若い芸人も顔を出し、にぎやかな店内でもダントツに目立つグループだった。

「へえ、清居くんの友達なんだ」

「普通の大学生なの？　絶対モデルだと思った」

いいえ、全然、そんな、へえ、すごい。四方八方から放たれる質問を、平良は五つの言葉と引きつった笑顔だけで乗り切った。みんな一般人とはオーラが違う。気を抜いたらぺしゃんこにされてしまいそうなほどの圧迫感に、忌々《いまいま》しさをともなった懐かしさがこみ上げる。

この連中は高校時代、ピラミッドの頂点に君臨していたであろう人種で、一番下で這《は》いつくばっていた平良みたいな底辺ぼっちを、少なからず嘲笑《あざわら》った経験があるはずだ。そういうある種の残酷さを持ち合わせた人間でないと、こんな禍々《まがまが》しいまでの輝きは放てない。

向かいに座った真子《まこ》というモデルはまあ優しく、「これおいしいよ、食べてみて」とか「グラス空だね、なに飲む？」と気遣いをしてくれる。逆に疲れるので放っておいてほしいのだけれど、清居の友達なのだからと死ぬ気で愛想を振り絞った。

「平良くんって大学でなにしてるの？」

「勉強です」

微妙な沈黙が生まれたが、真子は「へー……」と頬杖で笑った。

「サークルとかやってるの？」

「あ、カメラの」

サークルはまだ続けている。平良はやめようと思っていたが、平良にとっては初めて友人ができた貴重な場所なんだからと、清居がやめるなと言ってくれたのだ。けれどサークルには小山がいる。清居から疑われるようなことはしたくないと言ったが、浮気が心配だからサークルをやめろなんて、そんなみっともないことを誰が言うかと逆に怒られた。

――あ……でも小山さんの弟には一応ちゃんと俺とのこと言っとけよな。

最後に小さく早口でつけたされた言葉に清居の本音が透けていて、この信頼を裏切ったらアヒル隊長に斬って捨てられてもいいとひれ伏したい気持ちになった。あまり崇《あが》め奉《たてまつ》ると清居は機嫌が悪くなるので、なるべく崇めないよう気をつけている。というか、崇めていることを態度に出さないよう努力している。

小山からは、俺もしつこくしてごめんと逆に謝られた。ふられるのもつらいけど、何度もふらなきゃいけないほうもしんどいよなと言われた。その後もお互いサークルは続けている。

「——志望なの？」

ぼうっとしていたら聞き逃してしまった。

「カメラマン志望なの？」

「いや、全然」

「ふうん。でも上手なんだろうね。今度あたしも撮ってほしいなあ」

「ポートレイトは好きな人しか撮らないから」

厳密に言うと清居だけだ。一秒で断ると、また微妙な沈黙が漂った。真子は頬杖の姿勢のまま平良をにらみつけ、フフフと口元だけで笑った。なにこの子。怖い。

「……ちょっとトイレ」

とりあえず脱出することにした。やたらと薄暗い廊下を歩き、もっと薄暗いトイレで用をすませながら溜息をついた。最近はすっかり忘れていたが、底辺ぼっちだった高校時代を思い出して、場違い感が半端ない。ああ、早く帰りたいと廊下に出た。

「ひーらくん」

いきなり声をかけられ、びくっとした。ショートカットの女の子が立っている。最初の自己紹介でモデルだと言っていたが、名前は忘れてしまった。

「真子、怒ってたよ。平良くん失礼だって」

「え？」

どきりとした。引きつりつつも笑顔を作ったつもりだし、呼吸法と短いセンテンスを駆使して吃音《きつおん》が出ないよう最大限努力もした。これ以上は無理だ。

「気にしなくていいよ。平良くんに相手にされなくて怒ってるだけだし」

「相手？」

「でも真子の気持ちわかる。モデルとか芸人とかノリが軽い人多いし、平良くんみたいなクールでちょっと陰のある男の子ってあたしも好きだなあ」

名前も知らない女の子がじりじりと距離を詰めてくる。この子はなにを言っているんだろうか。意味不明だ。いや、もしや賭けでもしているのか。モテない男に気のあるふりをして、男が本気になったらネタばらしをして笑い者にする残酷なゲーム。そんな手にはのらないぞ。そもそも自分には清居という世界最高の恋人がいるのだから――。

「ねえ、平良くん」

また一歩詰められ、その分だけ下がると背中が廊下の壁に当たった。

「ここ退屈だし、ちょっと抜けよう？」

身体をよせられ、声も出せずに硬直しているとガンと壁を蹴る音がした。

「そこいられると、トイレ行けねーんだけど」

思い切り不機嫌そうな清居に、名前も知らない女の子は「やだー、空気読んでよ」と頬をふくらませた。そして硬直している平良の腰のあたりをするりとなで、女子トイレへ消えた。

「き、清居、ありがとう！」

平良は清居に駆け寄った。薄暗い廊下で妖怪につかまったような恐怖を感じていたのだ。助けてくれてありがとうという気持ちだったのに、清居はひどく怖い顔をしていた。妖怪よりもなによりも平良の心臓を凍りつかせる、ゴミカスを見るような冷たい目。

「帰る」

清居はさっさと廊下を引き返していく。慌てて追いかけたが、途中で荷物があることを思い出した。テーブルに戻って帰ることを伝えると女の子たちから引きとめられたが、無視して店を飛び出した。しかし清居の姿はどこにもなかった。

あちこち捜したが、人が多すぎて清居を見つけることはできなかった。携帯にも出てもらえず、メールにも返事がなく、これ以上ないほど落ち込んで帰りの電車に乗った。

やっぱりあんな華やかな場所に行ったのが間違いだった。ひとり浮いている自分を見て、清居は我に返ったのかもしれない。嫌われたんだろうか、もしやふられるんだろうか。……死にたい。絶望して帰宅すると、窓にあかりがついていた。

「清居！」

転がり込むようにリビングへ行くと、清居はソファに長い足を組んでけだるそうに座っていた。姿勢はそのまま、ちらりと横目でこちらを見る。平良はびくりとした。

「……き、き、ききき、きよ、きよっ」

さっきはしのげた吃音が出た。どれだけ見かけを飾っても、清居の前では簡単に無様をさらしてしまう自分が恨めしい。なんとかごめんと謝ると「なにが？」と問い返された。

「……お、俺がひとりで浮いてて場のランクを下げたから」

「ちげーよ。別におまえは浮いてなかったし」

「……俺の態度が悪くて女の子を怒らせたから」

「はあ？」

「トイレの前で言われた。真子って子が俺のこと失礼だって怒ってるって」

「勝手に怒らせとけよ。あの程度の女が偉そうに。誰の男に手を――」

途中で清居は口を閉じた。

「他に心当たりはないのか」

「……もしかして、女の子にくっつかれてたから？」

恐る恐る問うと、清居の目が鋭さを増した。ああ、これだ。

「ご、ごめん。でもあれは賭けだと思う」

「賭け？」

「モテない男を罠《わな》にはめるやつだよ。相手をその気にさせたら勝ちみたいな」

清居は額に手を当て、大きな溜息をついた。

「おまえ、ちょっとここきてバンザイしろ」

「バンザイ？」

「早くしろ」

厳しい声が飛んできて、慌てて清居の前に立って手を上げた。バンザイと言うよりも降参に近い恰好だ。ホールドアップ状態のまま、ボディチェックのように上からパンパンと手ではたかれていく。途中、パンツの尻ポケットに手を突っ込まれた。

「これはなんだ」

取り出されたのはメルアドつきのピンクの名刺だった。顔をよせて見たが覚えがない。

「カンナだ」

「誰？」

「トイレの前でいちゃついてた女」

「えっ、いつの間に」

マジシャンか。いや、そういえば最後に腰をなでられたような――。考える間にもジャケットのポケットに手を突っ込まれ、出てきた清居の手にはまたもや名刺があった。そっちは完全に誰かわからなくて平良は愕然《がくぜん》とした。みんなモデルとか女優と言っていたが、実はプロのスリなんじゃないか。入れられるなら抜けるはずだ。

「……つうか、なんなの、おまえ」

じろりとにらまれた、すごい目力に冷や汗が背中を流れ落ちる。

「なんでそんな隙だらけなんだよ。天然のたらしか」

「そ、そんなことあるはずないだろう」

恐ろしくて声が震える。このままでは無実の罪でアヒル隊長に斬り捨てられてしまう。

「じゃあなんですぐに断らないんだよ。あんなべったり抱きつかれやがって。俺が様子見にいかなかったら、おまえ、あのままキスされてたぞ」

「お、驚きすぎて、動けなくて」

なんとか言い訳をすると、清居はきりきりと美しい眉を吊り上げた。

「この馬鹿……っ！　平良のくせに！　もうこんなん全部脱げ！」

清居は立ち上がり、平良からジャケットをはぎ取った。シャツもぐいぐい引っ張られ、ずぼっと頭から抜かれ、最後に半裸の平良の頭をぐしゃぐしゃにかき回した。

「おまえなんか、ずっとださいままでいいんだよ！」

思い切り怒鳴りつけ、清居は背を向けてソファに寝ころんだ。

平良は途方に暮れた。しかし自分が悪いのだ。清居の言う通り、あのままキスでもされていたら、本当に清居に捨てられていたかもしれない。いや、今まさに捨てられかけている。

「清居、ごめん。本当ごめん。こっち向いて」

ソファの前に膝《ひざ》をついてお願いした。しかし返事はない。

「もう二度とないと思うけど、今度ああいうことがあったら絶対断るから」

「もういい。無理すんなよ。本当は少しは嬉しかったんだろう」

「あるわけないだろう。俺は清居以外の人にそういうの思ったことないよ」

そこだけは疑われたくない。しかし清居はこちらを向いてくれない。

「……真子と楽しそうに喋《しやべ》ってたくせに」

清居がぼそっとつぶやいた。

「清居の友達だから死ぬ気でがんばったんだよ」

「……そうなのか?」

「当たり前だろう。元々俺はああいう人たちには近づきたくないんだから。真子って子も人をにらみながらフフフって笑うし、すごく怖かったよ。清居の友達じゃなかったらさっさと帰りたかった。だから清居、お願いだから、こっち向いて」

必死でお願いすると、わずかに肩を起こしてくれた。

恐る恐るのぞき込むと、形のいい唇が拗《す》ねたようにとがっているのが見えた。ぐっと胸が苦しくなる。かわいくて、色っぽくて、たまらなく愛しい。

「俺には清居だけだよ。清居だけが死ぬほど好きだ」

上から覆いかぶさり、耳元にキスをした。

「……平良のくせにモテやがって」

「ごめん」

もう一度、そうっとこちらを向かせて今度は唇にくちづけた。

平良のくせにと言われるたび、心の底から申し訳なくなる。自分みたいな底辺が清居の恋人なんて、なにかの間違いとしか思えない。その上、自分のすることで清居が怒ったり泣いたりするなんて信じられない。自分がなにをしようが清居は痛くも痒《かゆ》くもないと思っていたし、そういう超然とした清居を悲しくも誇らしく思っていたのだけれど――。

「……悪い、俺も言いすぎた」

長い腕が首にからみついてくる。

「……俺、おまえのことになるとちょっとおかしい」

清居は顔を見られたくないかのように平良を引き寄せ、自分からキスをしてきた。形のいい唇が花が咲くように開いて、平良の舌を受け入れる。この瞬間、いつもくるりと世界が反転するような感覚に落ちてしまう。

自分のような男が清居の恋人で申し訳ない。心の底からそう思う。なのに心にはまだまだ底があり、身の程知らずな歓びも湧《わ》き上がってくる。自分のことで怒ったり泣きそうになっている清居をもっと見たい、もっと泣かせたいと思っているひどい自分がいる。

シャツの裾《すそ》から手を忍ばせ、直接肌にふれた。びくりと震えが伝わってくる。清居はひどく感じやすい。なめらかな手触りを味わいながら胸の突起にたどり着いた。指先でこねると甘ったるい吐息がこぼれる。シャツをめくりあげて、ちゅっと吸いついた。

「……っ、ん、そこは……」

嫌がるように身をよじる。少し前、散々抱き合った週末明けの撮影で、胸元をはだけるポーズを要求されて清居は困ったらしい。前日の余韻でわずかに赤みを帯び、軽くシャツとこすれただけで立ち上がってしまう胸の先をかくすのに苦労したという。

——おまえ、そこさわりだすと、しつこいし……。

さすがに自分を恥じ入った。それからは清居の仕事に支障がでないよう、あまりさわらないようにしていたのだが、今夜はどうしても我慢できない。小さな突起に舌を這《は》わせると、柔らかかったそこはすぐに硬くなり、つんととがって平良の舌を愉しませた。

「そこ、だめだって……言ってんだろ……」

そう言いながら、押し返してくる手にはほとんど力が入っていない。

舌で押しつぶしたり、転がしたり、たまにきつく吸い上げる。そのたびとろりと濡《ぬ》れた声がもれて、肌がしっとりと汗ばんでくる。その感覚にうっとりする。

清居の肌が好きだ。きめがこまかくなめらかで、汗に濡れてぴったりと平良に貼りついてくる。離れるとき、粘着シートをはがすときのようなわずかな抵抗が生まれる。離れたくないと言われているようで、いつまでもふれていたくなる。

「……平良、もう、そこ、だめだって」

散々いじられて、小さく色も薄かった乳首が今は濃い桃色にふくらんでいる。唾液《だえき》で濡れているそれを指で転がすと、清居の声はぐずぐずに蕩《とろ》けていく。

泣きそうな顔で身体をよじらせる様を見ていると、もっとしたくなる。舌を這わせ、反対側を指でいじっていると、ふいに清居の声がせっぱつまった。

「……んっ、あっ、あああっ」

清居がきつく目をつぶり、びくびくと大きく痙攣《けいれん》する。平良の身体の下で全身を硬直させたあと、ゆっくりと弛緩《しかん》していくのが伝わってくる。

「もしかして、胸でいった？」

「おまえがしつこいから……っ」

清居は首筋まで赤く染めて顔を背けた。

「ごめん、服着たままで気持ち悪いだろう。脱いで」

「いい、自分で――」

清居はひどく嫌がった。けれど達したあとで力がほとんど入っていない。強引にパンツを下ろすと、グレイのボクサーショーツの前が濡れて染みが広がっていた。

「……っ、見るな、変態」

真っ赤な顔で必死でかくそうとする。暴れる身体を抱きしめて、ごめんごめんと謝りながら下着も脱がせていくと、言ってることとやってることが違うとまた怒られた。

「……っ」

清居が放ったものを潤滑剤にして、後ろをさぐる。今夜初めてふれるというのに、そこは熱っぽくうるんで平良の指を受け入れた。つきあいだして一ヶ月、ほとんど毎晩している。自分が猿になった気がして恥ずかしいが、毎日しても足りない。もっともっとしたい。

くったりしている清居の身体を起こして、ソファに浅く腰かけさせた。膝に手をかけて足を大きく開かせると、指でほぐされた場所まではっきりと見えてしまう。

「……だから、じろじろ見んな……って」

怒った口調。なのに表情は泣きそうで、そのギャップに平良の中心もますます張りつめてしまう。性急にベルトを外し、取りだしたものを、濡れてひくついている場所にあてがった。腰を進めていくと、中心が口を開いて平良を受け入れた。

「……んうっ」

清居が眉根をよせる。元々受け入れるための場所ではないのだから、なるべく負担をかけないようにゆっくりと進んでいく。すべて沈めても、しばらく動かずになじむまで待つ。この間は男としてひどく切なくて、こらえきれずに胸の尖りに舌を這わせた。

「っひ、……それ、もう……」

舌先でくすぐると、つながっている場所がきゅうっとしまる。よじれる身体を押さえつけて小さな果実を舐《な》めしゃぶった。平良を受け入れている場所がどんどん熱を上げ、ねだるように収縮しはじめる。身体ごと求められて、頭の芯まで沸騰しそうに熱くなる。

「……平良、も、早く、動け」

腰を揺すりながらの訴えに、これ以上はこらえきれなくなった。身体を起こし、抜け落ちるぎりぎりまで腰を引いていく。そしてまたゆっくりと挿入していく。

「……清居、すごい、いやらしい」

リビングの煌々《こうこう》としたあかりの下、自分のものが出入りしている様がくっきりと見えてひどく興奮してしまう。清居は恥ずかしそうに首を横に振る。足を閉じようとするので、そうさせまいと奥まで突き込むと、清居は背をのけぞらせた。

しっかり奥までつながった状態で腰を回すと、清居がたまらなさそうに首を振る。性器の先端からはひっきりなしに先走りがこぼれて淡い茂みを濡らしている。

清居を抱き上げ、床のラグに押し倒した。覆いかぶさって、舌をからめるキスをした。真夏のランナーみたいに息が荒い。酸素が足りなくて苦しい。でも離れたくない。

「ごめん、もう……もたない」

なんとかそれだけ告げると、清居がきつくしがみついてくる。

「中に出していい？」

「知ってるくせに、聞くな……っ」

うっすら涙のにじむ目でにらみつけられ、それだけでぐんと快楽の頂点が近づく。浅い場所で腰を揺すりたてると、清居は甘ったるい悲鳴を上げた。

「あ、あっ、平良、平良……」

快感でべしゃべしゃにひしゃげた声で呼ばれる。

しのぐことは到底できず、平良に少し遅れて清居も達した。


行為のあとも離れがたく、抱きしめたまま髪や肩にキスを繰り返しているうちに清居は眠ってしまった。やすらかな寝息に合わせて、腕の中の身体がかすかに波打つ。

ゆるいゼリーみたいな眠気と幸せに浸っていると、清居が肩をすぼめた。寒いのかなと目だけでエアコンのリモコンを探す。ラグの端に落ちているのを見つけて腕を伸ばすと、清居がしがみついてきた。起こしたかとのぞき込むと、

「……どっこも行くな……」

清居は目を閉じたまま、ふにゃふにゃとつぶやいた。

ゆっくりと、言葉にできない気持ちが波のように押し寄せてくる。小さな頭ごと抱きしめると、抱擁に合わせるように清居は丸まってしまい、もうたまらなくなった。

甘くて、あたたかい。

なのに、ほんのわずかに痛い。

説明しがたい感情が、あとからあとから湧いてきてあふれてしまう。一滴たりともこぼしたくない。慌てて両手で受け止めるけれど、到底無理だ。あふれて滴るものを困った顔で見ているだけの自分がいる。困っているのに、すごく幸せなのが不思議だった。

初めての感覚を扱いかねて、平良は途方に暮れた。

自分みたいなのが清居の恋人だなんて申し訳ない。なのにどんどん欲張りになっていくのを止められない。清居を誰にも渡したくない。ふれられたくない。見せるのすら嫌だ。憧れて見上げるだけだったころにはなかった独占欲に振り回されている。

好きで、好きで、好きすぎて、満ち足りない。

十四番目の月みたいなこの気持ちは、この先も続いて自分を切なくさせるんだろう。

腕の中では、清居がまた言葉にならないことをつぶやいている。

あとがき

唐突ですが、気持ち悪い攻めが好きです。

受けは強気だったり、しっかり者だったり、美人で性格が悪かったりするのが好きなんですが、攻めに関してはほんっとに気持ち悪い人が好きです。とはいえ気持ち悪かったらなんでもいいというわけではなく、一応タイプがあります。スーパーネガティブだけどピュアピュアで、受けが好きすぎて、ごめんねごめんねと土下座し、俺はダメだダメだと自らを責めながらも止められず、明後日の方向へ暴走する攻めが大好きです。

受けにさわりたくてしょうがないにもかかわらず、自分なんかがふれていい人じゃないと、ドMな域までこらえる忍耐心も持っていると尚いいです。やせ我慢は男の色気に通じると思います。まあ平良《ひら》に男の色気があるか問われると困るんですが……。

そんな気持ち悪い攻めに追いかけられるのが、優しいおとなしいタイプの受けだとかわいそうなことになってしまうので、全力のジャンピングニーアタックで断固拒否する容赦ない受けがいいなと思った結果、今回の「美しい彼」に行きつきました。

趣味の赴くままに欲張ったので、執筆中は楽しい反面、苦労も多かったです。大好きなきもい攻めを核に据えたのはいいとして、どんよりしてるのは嫌なので（きもい＋どんよりって救いがない）、きもいけど爽やかでキラキラした（部分もちょっとはあるような、ないような、あったらいいいな）青春ものが書きたいと漠然と考えていました。イメージどおりに伝わっているかはわかりませんが、とりあえず攻めにデュフフと笑わせることができたのでわたしは満足です。笑い方までぬかりなくきもい攻め！

イラストは葛西《かさい》リカコ先生にお願いできました。以前にもお仕事をご一緒させていただいたことがあるのですが、そのときも張りつめた繊細さにあふれた、とても素敵なイラストを描いていただきました。今回も素晴らしいです。清居《きよい》はタイトル通り美しく、きもうざの平良までこんなに素敵になるなんて……っ。葛西先生、ありがとうございました。

そして読者のみなさまへ。あとがきまでおつきあいくださってありがとうございます。今回はすごく趣味に走ったお話になりましたが、楽しんでいただけるところがあることを願っています。感想などありましたら、ぜひお聞かせください。

それでは、次の本でもお目にかかれますように。

二〇一四年　十一月　凪良《なぎら》ゆう

この本を読んでのご意見、ご感想を編集部までお寄せください。

《あて先》〒141-8202　東京都品川区上大崎3-1-1　徳間書店　キャラ編集部気付
「美しい彼」係

【読者アンケートフォーム】

QRコードより作品の感想・アンケートをお送り頂けます。

Chara公式サイト http://www.chara-info.net/

■初出一覧
美しい彼……書き下ろし
ビタースイート・ループ……書き下ろし
あまくて、にがい……書き下ろし
月齢14……書き下ろし

Chara

美しい彼

……【キャラ文庫】

2014年12月31日　初刷
2024年10月20日　32刷

著者　凪良ゆう
発行者　松下俊也
発行所　株式会社徳間書店
〒141-8202　東京都品川区上大崎3-1-1
電話　049-293-5521（販売部）
03-5403-4348（編集部）
振替　00140-0-44392

印刷・製本　TOPPANクロレ株式会社
カバー・口絵　近代美術株式会社
デザイン　百足屋ユウコ＋松澤のどか（ムシカゴグラフィクス）

ISBN978-4-19-900780-4